Juan Pablo II

El hombre y la historia del siglo XX

Queremos dar las gracias a Julián Ocaña, a Teresa Rodríguez y a Olaf Carstens por la ayuda
que nos han prestado en el proceso de creación de esta obra,
así como a Monseñor Ruggieri y a Monseñor Fleischmann, por su cordial y amistoso apoyo.

Es un Papa eslavo que abre

el acceso al trono de los tronos.

¡Éste no huirá frente a la espada como ese italiano!

¡Éste, resuelto como Dios, afrontará de frente la espada!

—¡El mundo es el que es polvo!—

¡Las multitudes enchidas lo seguirán

hacia la luz que Dios habita!

Liberará al mundo de las heridas

de su sanie y de toda miseria.

Limpiará el santuario de las iglesias y barrerá sus umbrales.

Revelará a Dios tan claro como la luz del día.

Hacen falta fuerzas para restituirle a Dios

un mundo que es suyo.

¡He aquí pues que llega,

el Papa eslavo, hermano de los pueblos!

Juliusz Slowacki, poeta polaco (1809-1849)

▲ La incansable actividad del Papa en favor del Hombre ha contribuido a que esta obra vea la luz. El 18 de febrero de 1998, terminada la Audiencia General, Marie, una niña francesa, ofrece el primer ejemplar a Juan Pablo II. (Fotografía de Arturo Mari, con la amable autorización del *Osservatore Romano*.)

Sua Santita Giovanni Paolo II

En esta tierra que se me concede visitar, ha habido y hay muchos hombres y mujeres que han sabido y que saben, aún hoy día, que su vida entera tiene valor y sentido sola y exclusivamente en la medida en que es una respuesta a la pregunta: ¿Amas? ¿Me amas?

Han dado y dan su respuesta de manera total y plena —una respuesta heroica—, o bien han dado una respuesta común y corriente. Pero en cualquier caso, saben que su vida, que la vida humana en general, tiene valor y sentido en la medida en que es respuesta a la pregunta: ¿Amas? Sólo gracias a esta pregunta, la vida vale la pena ser vivida.

Joannes Paulus PP. II

Juan Pablo II

El hombre y la historia del siglo XX

Marc-Eric Gervais

ELSA
EDITIONS

El hombre y la historia del siglo XX

10 La elección de un nuevo Papa

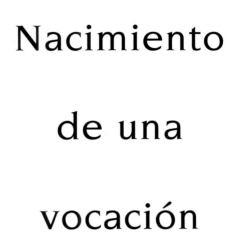

▲ Ceremonia fúnebre de Juan Pablo I.

▲ Jesús les dijo: "Venid a mi cohorte y os haré pescadores de hombres" (Marcos, 1, 4-17).

La elección de un nuevo Papa

El año 67 tuvo lugar la elección de Lino, quien sucedió al apóstol Pedro, a su vez elegido por Cristo; a partir de esa fecha, la designación de un nuevo Papa se ha iniciado siempre tras la enunciación de esta mala noticia: "¡El Papa ha muerto!". El camarlengo constata el deceso del Papa, convoca entonces al Cónclave o asamblea de Cardenales, encargada de elegir al nuevo Papa.

El anuncio oficial del deceso de Juan Pablo I.

Albino Luciani nació en Canale d'Agordo en 1912. Fue profesor de teología, luego sacerdote en 1935, patriarca de Venecia en 1969 y en 1973 se ordenó cardenal. A la muerte de Pablo VI, el Cónclave inició su reunión el 25 de agosto de 1978, en la Capilla Sixtina. Después de cuatro rondas de escrutinio Monseñor Luciani fue designado. *Tempesta magna est super me* —una violenta tempestad se abate sobre mí— fueron las palabras del nuevo Obispo de Roma, quien tomó el nombre de Juan Pablo I. El 27 de septiembre del mismo año de 1978, el Papa convocó a Monseñor Villot, administrador de los bienes pontificios. Exigió la renuncia de Monseñor Marcinkus, cuyo nombre figuraba en el escándalo del banco Ambrosiano. La entrevista entre los dos subía de tono. Durante la noche del 28 de septiembre Juan Pablo I murió a causa de una crisis cardiaca. Su reinado había durado sólo 33 días.

Primer recorrido de Juan Pablo I por las calles de Roma.

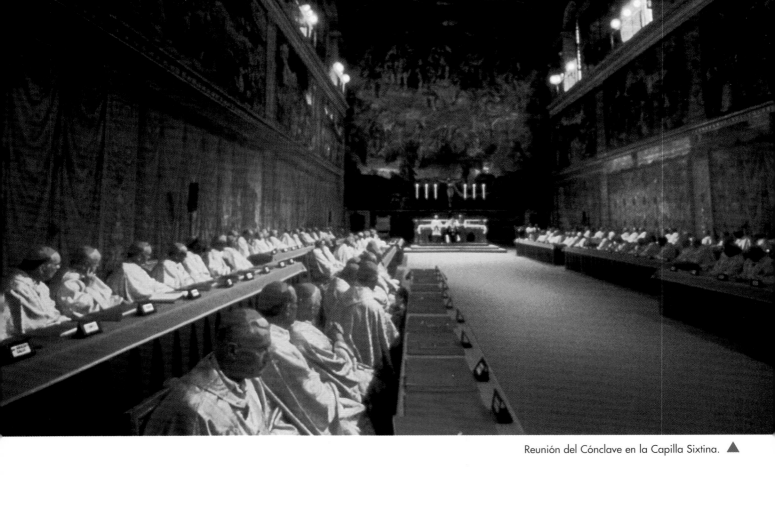

Reunión del Cónclave en la Capilla Sixtina. ▲

Photographies Lochon/Gamma

La víspera de la apertura del Cónclave, encargado de decidir el nombre del sucesor de Juan Pablo I, el personal del Vaticano había cerrado escrupulosamente todas las salidas y había anudado las ventanas con resistentes cuerdas para impedir que se abrieran. Situación normal en el Vaticano, ya que desde la publicación de la encíclica del primero de octubre de 1975, por edicto de Pablo VI, el trabajo de los cardenales debía realizarse en el mayor de los secretos, so pena de excomulgación. Es así como durante dos días se habían alejado del mundo y se encontraban reunidos en la Capilla Sixtina. Habían suspendido incluso sus deberes para con los fieles, que esperaban en la Plaza de San Pedro de Roma. Ahí, apoyado contra los barrotes dispuestos el sábado en la mañana por los *carabinieri*, Pedro observaba a su esposa y le acomodaba el chal que se le había caído de sus hombros. A pesar de su devoción, Ana María abandonó su fervor para sonreír a quien acompañaba su vida desde hacía más de treinta años.

▲ La Crucifixión de Pedro.

▲ Guardias suizos.

La Città del Vaticano —la Ciudad del Vaticano— es considerada como el Estado más pequeño del mundo. Sus posesiones se extienden sobre 44 hectáreas.

En ella viven 800 religiosos y laicos de manera permanente, en la armonía más perfecta.

Una estación los une con el resto del mundo; una oficina de correos les permite transmitir sus mensajes. La Guardia Suiza vela por su seguridad. Nadie paga impuestos.

Si el supermercado a menudo está repleto, la prisión del Vaticano está absolutamente vacía.

Una característica adicional de ese singular lugar es que la fiesta nacional se establece en función de la fecha en que el Papa se ordena.

En el año 59, Pedro dejó Galilea, donde tenía el oficio de pescador. Llegó a Roma para fundar la Iglesia. San Pedro es el primer Papa de la Historia pues él fue quien escuchó a Jesús cuando le dijo: *"Tú eres esa piedra sobre la cual edificaré mi Iglesia y las puertas del infierno nada podrán contra ella."*

El Vaticano se edificó sobre el lugar mismo de su tumba.

▲ Plaza de San Pedro de Roma.

El Vaticano se extiende alrededor de la Basílica de San Pedro de Roma. Su edificación se realizó a lo largo de siglo y medio y se necesitaron veinte Papas y diez arquitectos. Desde 1929, fecha de los acuerdos de Letrán, el Vaticano es un Estado independiente que desarrolla actividades diplomáticas como cualquier nación soberana.

13

La explanada desbordaba de gente. Tanto de día como de noche, religiosas, peregrinos, creyentes o simples curiosos, de pronto estaban unidos compartiendo la certeza de una fe que dos semanas antes había vacilado. Protegidos por la doble hilera de columnas de mármol de Bernín, todos estaban deseosos de olvidar aquel viernes negro de septiembre que mostraba al mundo la muerte repentina del Papa Juan Pablo I.

Todos y cada uno se habían reconocido en ese *pobre pierrot vestido de príncipe*, elegido en la sola mañana del 26 de agosto de 1978, luego de cuatro pequeñas rondas de escrutinio. Ana María había llorado. Al igual que él, ella era originaria de Venecia y había acusado a los cardenales de la Curia de todos los males de la Tierra. ¡Ellos lo habían asesinado! La elección de Juan Pablo I, *el Papa de la sonrisa*, era la revancha de aquellos que bajan la cerviz frente a los poderosos. Proveniente de un medio de trabajadores, su identificación con el obrero era patente. Ese *Papa sin tiara* empleaba palabras que el pueblo entendía: "Era grande y al mismo tiempo sabía ser pequeño…" Pero, ¿qué sabía ese pueblo cristiano de los sufrimientos de Monseñor Luciani, quien una vez elegido, decidió tomar el nombre de Juan Pablo I?

Cuando Monseñor Villot, cardenal camarlengo del Vaticano, se le acercó para preguntarle: "¿Aceptas tu elección?", el cardenal de Venecia realmente tuvo el intento de decir que no. Sabía que estaba enfermo. Pero frente a la crisis que sacudía a la Institución, no podía rehusarse. La cristiandad vivía una crisis de vocación sacerdotal sin precedente. Su Iglesia —experta en lo humano— se ahogaba en escándalos financieros dignos de temas de novelas policiacas del estilo de John le Carré. La palabra de Dios se cargaba de integrismo. Aún más, tomaba vuelo en el avance del marxismo y aterrizaba en el asunto controvertido del cardenal Marcinkus, educado en el país de los dólares y bajo la sombra *del Pulpo*. Pero el Papa Juan Pablo I sabía que su reinado tenía que ser fuerte, él quien se sentía tan débil.

▼ Primera aparición del Papa Juan Pablo I, el 26 de agosto de 1978.

Muy pronto, el paso del Papa titubea. Eduardo Luciani, su hermano, notó su sufrimiento, en el instante mismo en que subía al altar, cuando hacía su ofrenda. Profundas ojeras obscuras marcaban su rostro. Sus rasgos estaban alterados, se llevó la mano al tórax.

A sus amigos les confiaba al oído: "Sonrío siempre, pero créanme, en mi interior sufro."

Por la mañana, desde las cinco, le imploraba a Dios que le permitiera proseguir su misión.

Algunos pensaban que el peso de las responsabilidades lo habían abatido.

Su gran sensibilidad le permitió estigmatizar los peligros que acechaban a su Iglesia.

A partir del 15 de septiembre, una lista con cerca de veinte *papabili* circulaba deshonrosamente en los medios autorizados.

Y sin embargo, la elección de Juan Pablo I no fue un *error de casting*.

En 1972, ya gozaba de la confianza de Pablo VI, quien le confió la vicepresidencia de la Conferencia Episcopal italiana. Con todo el conocimiento de causa, el Cónclave había elegido al *Papa del recurso*, guardián de los principios enunciados por Vaticano II y gran vencedor de la querella fratricida de los cardenales italianos, Monseñor Siri y Monseñor Benelli.

El futuro Juan Pablo I, de pie, al centro.

"Rayo del amor de Dios en las tinieblas del mundo" según palabras de la Madre Teresa, Pablo VI da gracias a Juan Pablo I por su humildad profunda y le ofrece el anillo de Juan XXIII, a quien llamaban también, *el buen Papa Juan.*

Los funerales de Juan Pablo I en la Iglesia de San Pedro de Roma.

Sin embargo, se había hecho Papa por obediencia a Dios. Naturalmente, el pueblo italiano nada sabía de los problemas de la Iglesia, ni de las querellas de los compañeros que parecían debilitar las relaciones entre sus dignatarios. Empero, mientras que la basílica acogía el cuerpo del *pobre Papa*, quien en realidad había muerto a consecuencia de un infarto, Roma estaba herida de muerte. Pietro Lombardo, cuya cultura no era grande, se había atrevido a gritar ¡los Borgia! En ese país humillado a los ojos del mundo por la corrupción y sacudido por los atentados asesinos de las Brigadas Rojas, el pueblo de la península venía a pedir un poco de humanidad. Por todas estas razones, Pedro y Ana María, esa pareja de obreros anónimos, estaba en primera fila ese lunes 16 de octubre de 1978. Venían a escuchar el nombre del próximo Papa italiano, cuya simple evocación devolvería a su país un poco de su magnificencia. ∎

Keller/Sygma

En el seno de la elección

En el silencioso rincón de la Capilla Sixtina, el Cónclave no ignoraba nada de los rencores que emanaban de la Plaza de San Pedro. Mientras que la *mano de Dios* se siguiera rehusando a designar el Papa número 246 de la historia de la cristiandad, las referencias al Nuevo Testamento dejaban de ser oportunas. ¿Los cardenales seguían encerrados en el silencio y las piedras? O bien, como sucede en toda elección política, ¿los sufragios daban lugar a la formación de coaliciones y a las promesas de ministerios? En efecto, la moral del hombre común reprobaría que la elección del Papa diera lugar a regateos viles. Pero por el hecho de que fueran prelados, esos ciento once cardenales no dejaban de ser hombres.

En el momento del octavo turno del escrutinio, Giuseppe Siri y Giovanni Benelli, arzobispos de Génova y de Florencia, sabían que su oportunidad había pasado. La elección tomaba visos de duelo entre los italianos y los extranjeros. El momento pareció oportuno al decano de los diáconos cardenales, Monseñor Felici, para aligerar el tenso ambiente de la asamblea. Relató la entrevista de Monseñor Siri, que había aparecido en la primera página de la *Gazetta del Popolo* (La Gaceta del Pueblo), y recordó el adagio: "Aquel que entra Papa al Cónclave, sale de ahí cardenal." Cuando Monseñor Benelli no consiguió su elección, el decano citó un axioma imponiendo una "R" en el nombre del próximo Papa. En ese momento aconsejó a Monseñor Benelli que tomara el patronímico de Berelli en la próxima vuelta. En suma, haciendo bromas con los rumores de que el próximo Papa vendría del sur, Monseñor Felici canturreaba *O sole mio*, cada vez que se cruzaba con Monseñor Ursi, el arzobispo de Nápoles.

17

Empero, más allá de las bromas de Monseñor Felici, la elección del nuevo Papa ponía en juego algo determinante para la Iglesia Universal. ¿Quién sería el elegido para responder a sus aspiraciones? ¿Quién sería designado para hacer que la Iglesia fuera un contrapeso a los cambios que deseaba la juventud del mundo? En suma, ¿se iban a proseguir las reformas de Vaticano II? O bien por el contrario, ¿se caería en la tentación extremista de un Monseñor Lefèbvre? Se enfrentaban dos visiones de la Iglesia. Los "antiguos" refutaban los avances de Vaticano II y los "modernos" pugnaban por intensificar la evolución de la Iglesia, emprendida desde los años sesenta. Desde 1959, Juan XXIII inició el concilio de Vaticano II, cuya primera sesión tuvo lugar en el otoño de 1963. Después de cuatro sesiones, tres mil padres lograron publicar en 1965 un texto en 16 partes, en el cual se determinaba la política de la Iglesia para los próximos años. Vaticano II planteaba la cuestión de la apertura de la Iglesia al mundo, favorecía el diálogo con las otras religiones e instituía la colegialidad entre todos los obispos reunidos en torno al Papa. Era sorprendente ver cómo la Iglesia se había adelantado diez años en sus reflexiones sobre la evolución de la sociedad, mientras que las revueltas del año 1968 habían tomado por sorpresa al mundo político. Se esperaba que la voluntad divina asumiera las contradicciones de nuestras sociedades en plena transformación y no se veía que las instituciones no estuvieran preparadas para ello.

Por todo eso, *El Señor* quería que su representante fuera joven y tuviera el deseo y la voluntad para recorrer el mundo con el fin de convencer a aquellos y aquellas que, simplemente, no creían. *El Elegido* hablaría a los pobres, liberaría a los encadenados y, siguiendo la palabra de Jesucristo, salvaría a la Iglesia. Entonces, como lo había hecho con Juan Pablo I, Monseñor Villot se dirigió lentamente hacia el arzobispo de Cracovia, un tal Karol Wojtyla, a quien los medios de difusión descubrirían. La Institución ya lo conocía pues le había pedido que pronunciara los veintidós sermones de cuaresma con motivo del retiro anual de la Curia, en 1976.

El camarlengo se inclinó frente a Monseñor Wojtyla y preguntó: "¿Aceptas tu elección?". Karol Wojtyla lo miró fijamente. ¿Qué pensamientos cruzaron por su mente? ¿Pensaba en el padre Albino Luciani quien sólo *soñaba con llevar a la Iglesia por la vía del amor*? ¿Pensó en su madre, Emilia Kaczorowska, a quien se parecía y a quien Dios había llamado a su gloria cuando él solo era un niño? Dos lágrimas discretas rodaron por sus mejillas; luego, como si hubiera sacado fuerzas de su dolor, aprobó la elección de Dios: "¡Por mi Cristo, por la Virgen, mi madre, por respeto a la constitución apostólica de Pablo VI que invita a aquel que sea el elegido como nuestro sucesor a no eludir la responsabilidad a la que es llamado, acepto!". En ese momento, Monseñor Giuseppe Siri, Monseñor Giovanni Benelli y todos los cardenales se levantaron.

Enmedio de un formidable bullicio, la asamblea aplaudió con entusiasmo durante varios minutos. Karol Josef Wojtyla, polaco de Wadowice, huérfano de madre a los nueve años, a quien los nazis dieron por muerto en su momento, el mismo que había sido ridiculizado en su fe por Stalin, ponía fin a cuatro siglos y medio de elección de Papas italianos. No bien había sido electo y ya era parte de una leyenda. ∎

Master/Sypa

18

Fue hasta 1972, cuando la revista *Times Magazine* provocó una toma de conciencia internacional al dar a conocer las devastaciones de la droga.

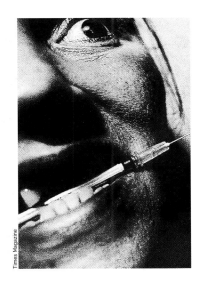
Times Magazine

En 1968, la juventud se rebeló contra una sociedad represiva. Desde París a Washington, los jóvenes se levantaban y se manifestaban contra las guerras y la opresión.

Gilles Caron

▼ En 1970, B. Bardot, "desvestida" de monja, provocó el escándalo.

CENSURÉ
Claude Azoulay

Al final de este siglo, el Papa ha sido criticado, en particular, por sus intervenciones en el dominio de la vida privada.

Empero, recordemos que en 1978 se esperaba mucho de él. Hoy día, se piensa que las posiciones de Juan Pablo II son demasiado doctrinarias, pero si bien aspiramos al cambio, ¿sabemos hasta dónde queremos ir? En 1978, ¿cuántos padres admitían que sus hijas, apenas mayorcitas, hicieran el amor?

¿Cuántas mujeres asumían solas el embarazo temerosas del rechazo familiar? ¿Cuántas de ellas murieron por haber guardado silencio? ¿Aún ahora, cuántos padres no sufrirían por el dolor de saber que su hijo es homosexual, incluso si no se admite que un hijo muera por haber amado?

Ese Papa inflexible no ha dejado de incitarnos a una incesante reflexión de nuestras interrogantes.

19

Incluso si se evoca la *mano de Dios* cuando los cardenales se manifiestan en la elección, ser elegido Papa no se debe al azar.

Tanto Juan Pablo I, como Karol Wojtyla, convertido en Juan Pablo II, han tenido un papel muy activo en la reflexión sobre la evolución de la Iglesia. La Curia y Pablo VI seguían muy de cerca sus intervenciones, en particular durante las sesiones de Vaticano II.

▲ El 26 de agosto, Monseñor Wojtyla se inclina frente a Juan Pablo I.

▼ Pablo VI y Monseñor Wojtyla.

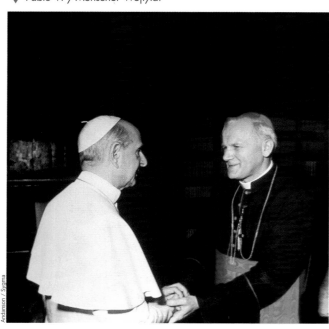

Cuando Karol Wojtyla llegó a las sesiones de Vaticano II, le precedía una sólida reputación, consolidada en gran medida por la publicación de sus escritos.

Pablo VI lo apreciaba y Juan Pablo I lo sentía muy cerca de sus convicciones pastorales.

▲ *La Escalera de Jacobo.* Museo del Petit Palais, en Avignon.

Sus
primeras palabras

El sol agregaba los últimos toques ocres sobre el frontón de la basílica que se adormecía lentamente. De pronto, un fuerte grito desperta- ba a Roma: *"Eccoci!"* (¡Ya estuvo!). La chime- nea de la Sixtina dejaba salir, por fin, un hilo de humo que en contraste con el cielo sombrío, se veía aún más blanco. Aunque el mundo lo sa- bría, en ese preciso instante nadie sospechaba que la revelación del nombre del nuevo Papa llevaría a la Iglesia al tercer milenio y la adelan- taría más de un cuarto de siglo.

Con las manos juntas, o con los dedos entrelazados, todos miraban fijamente la *loggia* que acababa de prenderse. Los rostros estaban animados, revelaban la emoción de ser el centro del mundo frente a las cámaras de televisión de un centenar de países. Las trompetas de los guardias suizos se dejaron oír, al resonar anunciaban a todos que el nombre del nuevo Papa iba a ser proclamado. Un silencio impresionante se apoderó de Roma cuando una silueta apareció en el balcón.

Retirado algunos metros, Monseñor Pericle Felici escrutaba a la muchedumbre, su rostro estaba pálido. En su calidad de Decano de los Diáconos cardenales, le correspondía revelar el nombre del sucesor de San Pedro. La sorpresa era tal que no tenía derecho a la equivocación. Al igual que los equipos de ciclistas que preparan el *sprint* a algunos metros de la meta, él era el encargado de la entrada victoriosa del "ganador", el futuro Obispo de Roma. Respiró hondamente y con un movimiento decidido dio un paso, con los brazos levantados en señal victoriosa. Emocionado por la dimensión histórica de su función, las únicas palabras que pudo pronunciar fueron: *"Habemus Papam!"* (¡Tenemos Papa!).

A priori, eso no era ninguna noticia y las risas se dejaron oír en la muchedumbre. Las voces impacientes clamaban: *"Chi è?"* (¿Quién es?). La cosa empezaba mal. Monseñor Felici, hombre ávido de la palabra justa, titubeante esta vez, cometió un lapsus histórico que provocó que la muchedumbre siguiera sin entender: "Su eminencia reverendísima Monseñor Carlum... ehum... Carolum Wojtyla". *"Chi è?"*. Ayudados con la luz de sus encendedores, algunos buscaban febrilmente ese nombre en la lista de los cardenales. Otros se volteaban hacia aquellos que con orgullo decían compartir *el secreto de Dios*. Una voz femenina vino al auxilio: *"E il Polacco!"* (¡Es el polaco!). Repentinamente, la muchedumbre aclamó de inmediato en todas las lenguas la nacionalidad del nuevo Papa. Anonadado, Pedro no quería entender. Fuera de sí, Ana María pronunciaba cada sílaba: *"Sì! Po-la-cco!"* (¡Po-la-co!). Aterrado, Pedro se dijo a sí mismo: "¿Y por qué no Pavarotti en el Lago de

los Cisnes?". Monseñor Felici no sabía qué actitud tomar. Empero insistió diciendo: "Wojtyla, quien ha elegido el nombre de Juan Pablo II". Inmediatamente, un torrente de aplausos respondió a la evocación de la memoria del arzobispo de Venecia. En la sombra, el nuevo vicario de Jesucristo había percibido una muchedumbre que había pasado de la reticencia a la alegría, pero que aún no estaba satisfecha, ni mucho menos conquistada. Pensando que la espera había sido larga, Juan Pablo II dio un paso y apareció, eran las 19:15 h.

"Non abbiate paura!" (¡No tengáis miedo!) fueron sus primeras palabras. Una ovación le respondió. En la *loggia*, con los ojos brillantes de inteligencia, el nuevo Papa emprendió la conquista de la plaza. "¡Alabado sea Jesucristo!" y la explanada se volcó en aplausos. Después de un homenaje a Juan Pablo I, el soberano pontífice mostró a los fieles todas las marcas de su humildad: "Tuve miedo al aceptar esta elección". El corazón de Ana María estaba henchido por la espontaneidad del "nuevo", quien confiaba sus sentimientos como cualquier persona. Sus palabras hacían nacer una complicidad con Pedro Lombardo, quien también conocía el miedo: miedo al desempleo y miedo por el futuro de sus hijos. A partir de ese momento, cada entonación del Santo Padre desencadenaba el entusiasmo. Ese Papa era excelente e incluso podía hacerlo mejor: "Yo trato de hablar vuestra lengua, nuestra lengua italiana. Si me equivoco, me corregiréis". Frente a esta confesión, Roma se desmoronó. Una aclamación ininterrumpida agitaba la plaza de San Pedro. Karol Wojtyla había necesitado treinta y dos años para conquistar a la Iglesia. El Papa Juan Pablo II, sólo necesitó tres minutos para conquistar al mundo.

Esa noche, los esposos Lombardo estaban serenos, en su casa se quedaron en el balcón abrazados hasta muy tarde. Miraban fijamente la cúpula de la basílica que se erguía con fuerza entre los millones de estrellas. Una de ellas brillaba con tal fuerza que los *diarios* ingleses de la mañana no dudaron en intitular a tres columnas: *"A pope Star is born"*. ∎

Lo que el Papa anunciaba era una nueva vida: "La vida va a cambiar, vamos a saldar las deudas y a liberar a los esclavos. "¿Por qué? Porque Dios está aquí. ¿Cuándo? Ahora."

El anuncio de la elección de un Papa polaco, "el Papa que viene del frío", y sus primeras palabras daban, a los cristianos de condición modesta, un verdadero aliento de esperanza.

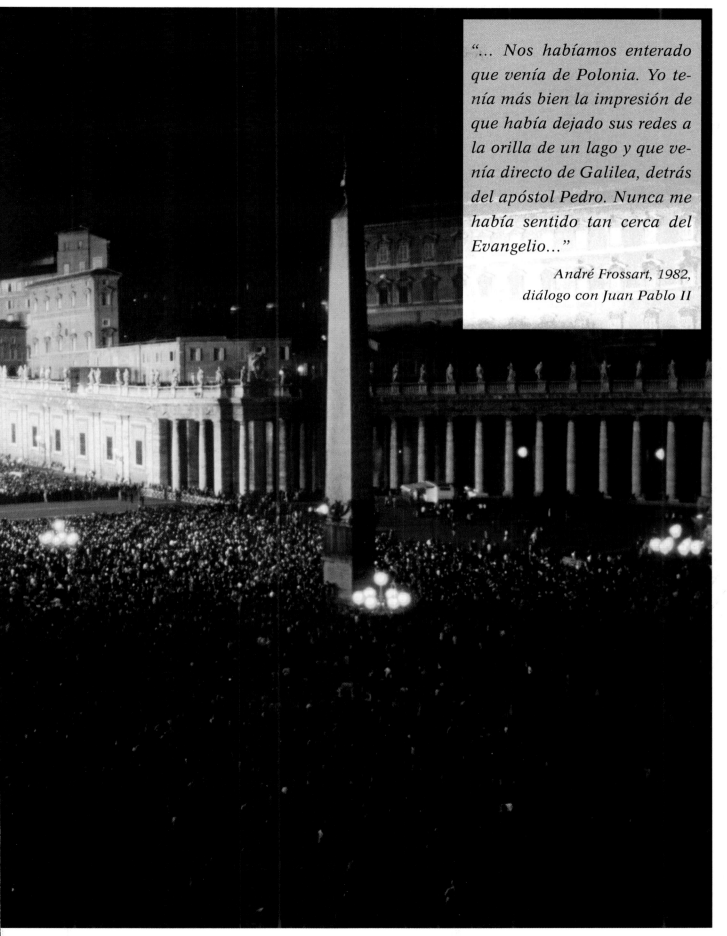

"… Nos habíamos enterado que venía de Polonia. Yo tenía más bien la impresión de que había dejado sus redes a la orilla de un lago y que venía directo de Galilea, detrás del apóstol Pedro. Nunca me había sentido tan cerca del Evangelio…"

André Frossart, 1982, diálogo con Juan Pablo II

Livio Anticoli / Gamma

Mientras Roma festejaba con abandono su primera noche *polonesa*, Juan Pablo II, "Loco de Dios", como lo describió con malicia su amigo, el padre Malinski, redactaba su primera homilía *Urbi et Orbi*. En su pequeña capilla, sopesa lo que se espera de su cargo. En tanto "jefe de rebaño" debe cerrar las filas y hacer que se reparta su acción militante. Juan Pablo II quiso presentar de inmediato sus intenciones al Cónclave. Así, durante una noche más, todos los cardenales sin excepción permanecerían en su pequeño cuarto sin confort y en el comedor comunal del Vaticano.

Photographies Lochon / Gamma

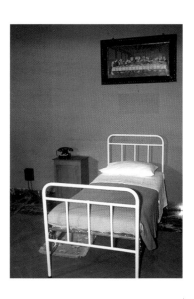

▼ *El Juicio Final* de Miguel Ángel adorna la cúpula de la Capilla Sixtina.

Marc-Eric Gervais

A la mañana siguiente, no quedaba huella alguna de la elección de la víspera en la Capilla Sixtina. La urna había sido vaciada y los boletines habían sido quemados, todo ello significaba que el mundo espiritual retomaba sus senderos.

A las 10:40 h, Juan Pablo II estrenaba su primera homilía *Urbi et Orbi*. En las pantallas de televisión, el conquistador de la víspera parecía disminuido por el peso del fresco de Miguel Ángel, *El Juicio Final*. Frágil y grave, pero adaptando sus palabras al compás de la transmisión, Juan Pablo II ya era dueño de su imagen.

Con voz segura, el Papa daba a conocer los dos puntos esenciales del pensamiento pastoral, expuesto desde 1946: adorar y rezar. Reafirmó con fuerza todos los principios de la colegialidad enunciados por Vaticano II. Luego dio el ejemplo del *querer* y del *actuar*. Ello significaba que en todos los países la Iglesia no sería nunca indiferente al sufrimiento de los hombres. Su filosofía se fundaba exclusivamente sobre motivaciones religiosas y morales.

27

Electo a los 58 años, Juan Pablo II tenía deseos de que actuara esa Iglesia agotada. Con voz de tribuna, llamó a los cardenales a actuar con más entusiasmo. Les pidió también que lo asistieran en ese gran designio que deseaba fuera colegiado. Con la humildad de un hijo de la Virgen María y la *"dureza de la fe"*, el Papa hizo que sus pares del Cónclave comprendieran que sería un guía. Aún más, un guía como lo son las gentes de fe y como lo reclama la religión católica. Una vez más precisó la divisa que había hecho suya desde que entró a la religión: *"Totus tuus"* (Íntegramente para ti).

Su autoridad impresionó tanto a la Curia que concluida su intervención, se dijo: "¡Este Papa nos reserva muchas sorpresas!".

Al término de los dos primeros días, creyentes y ateos se dejaron llevar por la asimilación de clichés que el Papa no ha logrado corregir en veinte años de pontificado. Se deseaba que el Papa fuera un hombre como los otros. Pero nadie había analizado las razones profundas que lo habían llevado a aceptar su elección.

Para los creyentes, restauraba la fe en un mundo tambaleante. Juan Pablo II les había dicho que no tuvieran vergüenza de ser creyentes. Empero, les causaría sorpresa saber que en 1960 ya había definido su posición en favor de una sexualidad armoniosa. Invitaba a las parejas a "no considerar solamente la relación amorosa con fines de procreación". En su obra intitulada, *El Nacimiento de los confesores*, había escrito: "Hay que exigir que en el acto sexual, el hombre no sea el único que alcance el punto culminante de la excitación sexual y que éste se produzca con la participación de la mujer y no a sus expensas."

Para los no creyentes, "era simpático". Iba a transmitirles a nuestros dirigentes ideas para *cambiar la vida*. Y todo ello sin contar que la Iglesia es un grupo de presión que se apoya en textos bíblicos que el Papa no puede derogar.

Este Papa se reservaba muchas sorpresas e incluso iría más allá de lo que la época podía permitir. En el balcón, revelaba sus sentimientos. Con la más profunda humildad, firmaba el telegrama anunciando su elección: "Alrededor de las 17:15 h, Juan Pablo II." Y cuánta espontaneidad cuando al día siguiente de su elección, al olvidar bendecir al personal de la clínica Gemelli, el protocolo le llamó la atención y confesó riendo: "¡Ustedes me enseñáis a ser Papa!". La prensa estaba muy atenta. Los títulos llovían: "futbolista", "comediante", e incluso anunciaba: "¡Casado, el Papa ha estado casado!". ¡Se trataba del Evangelio leído y corregido por *el Illustrated Sport*. La Biblia ilustrada para el *Sunday Times*! Juan Pablo II era puesto en la categoría de los amores de verano de la última princesa en boga. *El peso de los cardenales, el impacto de las fotos*: la papamanía estaba en marcha.

Juan Pablo II se presentó como un pastor y ha querido seguir siéndolo. Pero en el escándalo que crearon los medios de difusión luego de su elección, nadie percibe que lo más importante de sus palabras es la calidad de sus silencios. El Papa invita a la reflexión que da una fuerza particular a su compromiso.

Gamma

Fabian / Sygma

Con la cualidad de sus silencios, la afirmación de su adoración de Dios, la definición de su función pastoral, el Papa Juan Pablo II dio, durante las jornadas del 20 y 21 de octubre de 1978, la plena medida de su ciencia de la comunicación al repetir insistentemente tres palabras: colegialidad, fidelidad y universalidad.

El viernes 20 de octubre, el ambiente tenía un carácter sobrio en la gran sala del consistorio del palacio apostólico. Los diplomáticos reunidos en pequeños grupos impacientes esperaban la llegada del nuevo Papa. A las 11 en punto, Juan Pablo II hizo su entrada. En tanto Decano de los diplomáticos, Luis Valladares y Aycinema, embajador de Guatemala, presentó sus votos al Santo Padre, quien respondió caluroso, dando así muestras de sus intenciones diplomáticas. Subrayó la regla absoluta de no ingerencia de la Iglesia que funda su acción en "el respeto de los derechos de cada uno y con su contribución favorece la disminución de las miserias, impulsa la apertura a los valores espirituales y busca con

solidaridad el bien común con cada nación". Una vez que dio seguridad con sus palabras a las cancillerías, Juan Pablo II bajó de su estrado, para conversar amablemente en la lengua de cada uno. La intimidad de las relaciones del Vicario subyugó a los embajadores. Pero al fin estratega, el Papa jugaba con el doble sentido de su función pastoral. Dedicado a Jesucristo, el Papa es hijo de Dios e hijo del hombre. En tanto hijo de Dios, se encarga de los asuntos espirituales, pero en calidad de hijo del hombre, debe "aliviar los sufrimientos de los hombres, limitados en su dignidad por la dureza, la negligencia, el egoísmo o la ceguera". Debido a que los cancilleres del bloque del Este no supieron descifrar que el hijo del hombre intervendría cuando lo juzgara necesario, más tarde lamentarían el haberse dejado seducir ese día.

Al día siguiente, Juan Pablo II concluía sus *trabajos de Hércules* recibiendo a la prensa internacional, en la inmensa sala de las bendiciones. Estaba consciente de que después del pontificado de Pablo VI, que había sido un poco solemne, él debía utilizar los medios que el mundo moderno comenzaba a poner a la disposición de aquellos que querían hacerse oír. Frente a un auditorio fascinado, el nuevo Papa manejaba el verbo con una facilidad desconcertante; insistía en el valor del silencio y la reflexión: "Pensemos en el mundo en que vivimos." Frente a la prensa internacional, el nuevo huésped del Vaticano habló, durante largos minutos, del paralelismo entre *la vocación a la información que ambas partes compartían* y recordó que la Santa Sede estaría abierta a cualquier discusión digna. Luego, calurosamente aconsejó a su auditorio no dejarse llevar por el sensacionalismo. Les recordó a todos que él consideraba al periodismo como un sacerdocio. Para él se trataba de una misión sagrada que consistía en dar a conocer sólo la verdad. Les dijo en tono amistoso: "Sigan siendo ustedes mismos."

Al día siguiente, la prensa unánime daba los encabezados: "El Papa Juan Pablo II, un hombre de su siglo." ∎

En 1978, el Santo Padre invitó a todos a reflexionar sobre el sentido de la información.

¿Lo hemos escuchado? En 1985, en Colombia, una pequeña llamada Omayra murió embalsamada en el lodo, bajo los ojos de fotógrafos y camarógrafos que la filmaban sin prestarle ayuda.

Frente a ese "crimen contra la humanidad" más elemental, al igual que el Papa, nos preguntamos en qué mundo vivimos.

En audiencia pública, el Papa criticó con dureza esta acción y recordó a cada uno sus deberes de hombre.

Esta ha sido la preocupación que ha marcado su pontificado.

La Santa Sede es una autoridad moral que en ocasiones incita al mundo laico a la reflexión.

photographies Fournier / Contact

El Vaticano no minimiza ningún medio moderno de comunicación.

A pocas horas del inicio de la guerra del Golfo Pérsico, Juan Pablo II aceptó recibir de manos del joven Martín, un juego basado en la Declaración universal de los derechos del hombre.

Contra la guerra, el Santo Padre hace un llamado al diálogo.

31

Arturo Mari

La primera misa solemne

¿Cuántos podían haber sido los feligreses reunidos aquel domingo 22 de octubre de 1978? Según los comentaristas, había trescientos mil fieles reunidos en la plaza de San Pedro; la multitud llegaba más allá de la avenida de la Conciliazione. Los que llegaban tarde se perdían en el césped del castillo Sant'Angelo. Una multitud como "nunca se había visto" asistía a la primera misa solemne del Papa. Habían esperado horas, aunque el acceso visual al altar fuera relativo para la mayoría, la atmósfera era de gozo. *Los comerciantes del templo* habían fabricado, apresurados, objetos de culto que los fieles de todo el mundo se arrebataban.

Uno a uno, los cardenales habían besado el anillo del Santo Padre. ▲

Los polacos estaban llenos de gozo. Los cantos eslavos se mezclaban con los sonidos de los tambores africanos, recordando así la ayuda que dieron las iglesias del Tercer Mundo para la elección de este Papa extranjero. A la derecha del altar, jefes de Estado y hombres de Iglesia conversaban en voz baja. No lejos de ahí, los representantes de las iglesias no católicas admiraban a una joven española con rostro de virgen que, con la bandera de su país, comunicaba al cielo que toda la juventud del mundo estaba presente en esta fiesta de la fe. La señal de Eurovisión se dejó oír. La misa podía pues empezar. A las diez en punto, la procesión de los cardenales conducía a Juan Pablo II al altar. A pesar de la solem-

nidad del instante, la multitud irrumpió en aplausos. Sorprendido, el Papa se detuvo. Con gesto amable, se paró un instante en el ceremonial y bendijo a sus *fans*. Un rito sorprendente estaba naciendo espontáneamente en ese momento, mismo que desde entonces estaría presente en todas las intervenciones públicas de Juan Pablo II. Empero, las cámaras enviaban la imagen de un hombre tenso que sentía todo el peso de la cruz que había decidido cargar. Como lo confesó él mismo más tarde, en ese instante pensó en la serenidad de un moribundo que le susurró, en el último aliento, estas palabras de San Pablo: "Completo con mi carne lo que le falta a la Pasión de Cristo."

▲ El *pallium*, rito que data del siglo VI, se conserva en una urna de plata y se deposita, secretamente, cerca de la tumba de San Pedro. Representa el lazo entre el fundador del Cristianismo y el Papa, depositario de una fe milenaria.

▼ Juan Pablo II y Monseñor Wyszynski.

Monseñor Wojtyla había aceptado su elección pensando en todos aquellos para quienes Dios aún está ahí, cuando ya no hay esperanza.

Monseñor Pericle Felici se acercó al soberano Pontífice y le ofreció el *pallium* que las hermanas del monasterio benedictino de Santa Cecilia habían tejido, con la lana de dos corderos bendecidos el día de Santa Inés. Luego de rechazar la tiara cargada del orgullo de una Iglesia todopoderosa a los ojos del mundo, Juan Pablo II recibió la obediencia de los cardenales.

La asamblea se quedó pasmada cuando el cardenal Wyszynski se presentó para besar *el anillo del Santo Padre*. A su vez, el Papa se levantó y le besó la mano. Frente a la retransmisión de la R.A.I., Pedro Lombardo, el obrero anónimo, estaba emocionado. Evitaba cruzar la mirada de su esposa. Una vez más, Juan Pablo II había conmovido el corazón de los hombres.

Después, el Papa se levantó para pronunciar su homilía. Desde el inicio, los hombres de la política que estaban presentes recibieron, de frente, una gran lección de convicción. Engrandecido por la investidura, la voz grave y la mirada brillante, el Papa número 264 de la historia del catolicismo hizo vibrar a mil quinientos millones de teleespectadores, evocando simplemente su fe y su creencia en el hombre.

El discurso del Papa, pronunciado con voz segura, escondía numerosos acentos bíblicos. Empero, la homilía solemne no dejaba de ser un discurso militante. Aún más, era una homilía de combate: "Abrid de par en par las puertas a Cristo, abrid las fronteras de los Estados, los sistemas económicos y políticos, los inmensos dominios de la cultura, de la civilización, del desarrollo."

Y proseguía: "¡No tengáis miedo! ¡Cristo sabe lo que hay en el hombre, sólo él lo sabe!" Las miradas de algunos embajadores del bloque del Este eran elocuentes sobre la advertencia que el Papa les acababa de hacer. Para que entendieran mejor, Juan Pablo II empezó a hablar en polaco.

"Hay que concluir ahora. Es hora de comer, para el Papa, como para los demás."

A pocos metros de la ventana, el representante de Estados Unidos, Zbigniew Brzezinski observaba la escena complacido. Era consejero de la seguridad nacional del Presidente Jimmy Carter. Recordó el azar que le había permitido, en 1976, encontrarse con quien sería Papa. Siendo profesor en Harvard, había asistido a una conferencia de Karol Wojtyla, en ese tiempo arzobispo de Cracovia. Brzezinski quedó tan impresionado que lo invitó a comer. Así se inició una correspondencia personal que continuó incluso cuando Brzezinski fue llamado a Washington. Admirador del carisma del Obispo de Roma, el consejero estadounidense estaba convencido de que ese hombre cambiaría el mundo. ■

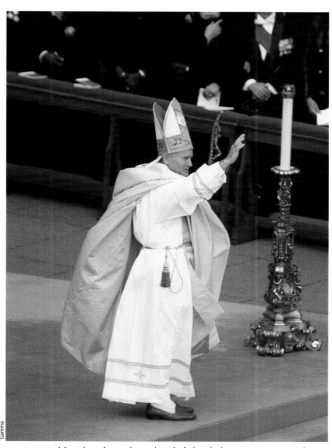

▲ Juan Pablo II bendice a la multitud el día de la primera misa solemne.

Les imploró a sus compatriotas de Jansa Gora y de todos lados: "Os lo suplico, no me dejéis solo. No dejéis de estar con el Papa." Llevado por una multitud que no dejaba de aclamarlo, ofrecía a la Iglesia la posibilidad de estar ahí donde no había estado antes. Después habló en francés, inglés, alemán, portugués, español, eslovaco, lituano... Abrazando al mundo, le pidió: "Orad por mí, ayudadme para que pueda servir." Desde la plaza de San Pedro hasta el corazón de los hombres vibraba la creencia de que un "hombre nuevo y libre quizás va a cambiar algo en el orden de las naciones", como lo había escrito Alain Vircondelet.

Luego de que un grupo improvisado aterrorizó a los servicios de seguridad, el Papa despidió a la asistencia. Aclamado por cientos de miles de jóvenes, volvió a la ventana de su biblioteca y les dirigió un último mensaje: "Sois el futuro del mundo. La esperanza de la Iglesia. Sois mi esperanza." Luego concluyó con sentido del humor:

▲ Escena de la provincia polaca.

▲ Cinco escenas de la vida de Jesús. Museo del Louvre, París.

Nacimiento de una vocación

Karol Wojtyla nació el 18 de mayo de 1920, en Wadowice, una pequeña aldea rural de la provincia polaca de Galitzia. Dio sus primeros pasos en una época en la que la desdicha no hacía excepciones. Soportar el peso de los sufrimientos hasta el martirio condujo lentamente a Karol Wojtyla al descubrimiento de su vocación: Consagrarse enteramente al Hombre.

Dorothea Lange

Karol Wojtyla nació en la Europa de la posguerra. Vencedores y vencidos lloraban a sus diez millones de muertos. En todos lados se escuchaba decir la misma frase: ¡Nunca jamás!

Empero, era tiempo de la revancha. Los vencedores hacían que los vencidos pagaran caro la derrota. De la miseria de los pueblos y de la inconsecuencia de los especuladores de Wall Street nacían los extremistas: Mussolini en Italia, Hirohito en Japón, Hitler en Alemania. Incluso Francia, país de los derechos del hombre y del ciudadano, estuvo a punto de sucumbir el 6 de febrero de 1934.

El futuro Papa crecía en tiempos agitados. Perdió a su madre a la edad de nueve años, a su hermano a los doce y a su padre cuando sólo tenía veinte años. El Hombre tenía en la conciencia los cincuenta millones de muertos de la Segunda Guerra Mundial. Karol Wojtyla eligió ser sacerdote para ocuparse de las almas.

Gamma

▲ Karol Wojtyla, seminarista clandestino en Cracovia en 1944.

▼ Emilia Kaczorowska, la madre de Karol Josef Wojtyla.

S obre la plaza de la Iglesia, en esa mañana de mayo de 1920, a pesar de los magros frutos, los comercios de Wadowice respiraban el inicio de una primavera de libertad que el Tratado de Versalles había anunciado dos años antes. Emilia Kaczorowska de Wojtyla avanzaba con prudencia en el empedrado pues la bruma que bajaba de los montes Beskides lo hacía especialmente resbaladizo. Su vientre crecido apuntaba hacia adelante. La esposa de Karol Wojtyla, oficial de Estado Mayor del duodécimo regimiento de infantería, muy pronto habría de dar a luz por tercera vez.

Ocho meses antes, cuando aparecieron los primeros signos de embarazo, ella no pudo dejar de compartir esa certeza. A pesar de que solía ser muy reservada, como las mujeres de su tiempo, se había lanzado a los brazos de su esposo. Juntos habían dado gracias al Señor por haber mitigado un poco su tristeza, provocada por la pérdida prematura de su pequeña Olga, seis años antes.

▲ Peregrinación a Kalwaria Zebrzydowska.

En 1920, Polonia estaba compuesta por pequeñas aldeas. El corazón industrial acababa de emerger en Varsovia y en Gdansk. Las provincias como Galitzia habían sido impregnadas de profundos sentimientos religiosos.

En 1925, el Estado polaco y su Iglesia firmaron un Concordato que garantiza la libertad de conciencia recíproca. La enseñanza religiosa católica se impartía en las escuelas. El domingo en la iglesia, se rezaba por la República y por su presidente.

Las luchas de resistencia frente al ruso ortodoxo, al prusiano luterano y al austriaco católico, explican el espíritu de combate de los polacos por la libertad. La Iglesia de los polacos fundó su culto sobre el establecimiento de principios rígidos, típicos de los movimientos clandestinos. Desde el Concilio de 1414, esa Iglesia predica la libertad de conciencia. De hecho, en Polonia no hubo hogueras, pues fue una de las pocas Iglesias que se negó a la conversión al cristianismo por la fuerza.

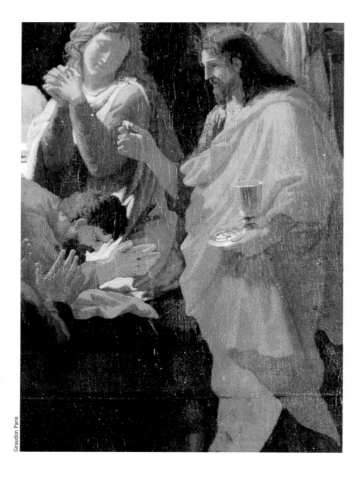

40

▼ Emilia Kaczorowska y Karol Josef Wojtyla, bebé.

Ese niño viviría por ella, por ellos y por Edmond, su hijo mayor. Ella deseaba un varón para no vivir en el recuerdo. Tendría otro hijo. Uno sería médico, para curar a los hombres y el otro padre, para curar las almas.

En aquel momento, había que llegar al número 7 de la calle Koscielna. Muy pronto Edmond saldría de la escuela. Emilia se detuvo dos veces para tomar aliento, antes de subir la gran escalera de piedra. Sus capachos le lastimaban las manos. Y ese hijo que no dejaba de moverse para todos lados, deformándole el vientre. Al fin empujó la puerta de su casa que daba a la cocina. La casa de los Wojtyla no era de ricos. Sin embargo, su pequeño hogar, que se componía de dos piezas, los hacía felices. Como buena ama de casa que era, Emilia se ocupaba de que en su hogar todo estuviera en orden. Pero ese 18 de mayo de 1920, sólo tuvo tiempo de dejar las bolsas en la mesa de la cocina, para sentarse y decidir, ella sola, que el hijo que venía se llamaría Karol, como su padre.

Como mujer de hogar que era, Emilia consagraba su tiempo al pequeño. Claro, también estaba Edmond, pero como ya era adolescente, salía al campo y llegaba cada vez más tarde, con *moretones en el cuello y arañazos en las rodillas*. El joven Karol, a quien llamaban "Lolek", abría sus grandes ojos cafés y tendía los brazos cuando su madre se inclinaba sobre su cuna cantando.

Y así, Karol creció. Emilia, madre mediadora, se interponía con tacto entre su marido y sus hijos, a los que el capitán Wojtyla quería educar con energía, en una Europa frágil donde los rumores inquietantes ya empezaban a circular. Para el padre, la educación era una verdadera cuestión de ética y de respeto de la identidad nacional, en ese país entregado sucesivamente a los rusos, los prusianos y a los austriacos. Su bisabuelo, su abuelo y su padre habían sido educados en un espíritu vivo de resistencia y sacrificio, sin el cual el alma polaca no habría podido resistir la presión de los distintos ocupantes.

"Alemania perdió, debe pagar." Esta frase resume el espíritu del Tratado de Versalles, firmado el 28 de junio de 1919, en la Galería de los Espejos. Al quedar desmantelado el imperio católico austrohúngaro, los Estados de Polonia y de Checoslovaquia se crearon de nuevo. La Sociedad de las Naciones, precursora de la O.N.U. es la encargada de regular las relaciones y los problemas entre los diferentes países.

Pero al darle la atención debida al asunto de la reconstrucción de Alemania y al ofrecer a Polonia el puerto de Dantzig, situado en pleno territorio germánico, ese tratado de paz permitió que se cristalizaran todos los rencores del pueblo alemán que, quince años después, se dejaría arrastrar en la revancha pregonada por un tal Hitler.

Arruinada por la guerra y frente a una América fuerte, la Europa democrática de esa época era muy frágil. El extremismo aumentaba debido al temor a los comunistas, que en 1917 habían tomado el poder en Rusia. En la Italia de 1919, Benito Mussolini era apenas un jefe de banda a sueldo de los patrones. Pero las elecciones de 1921 le dieron treinta y una diputaciones. En julio de 1922 el Partido Nacional Fascista acabó con la huelga general iniciada por los partidos de oposición. El 26 de octubre, Mussolini lanzó sus tropas, los *Camisas Negras*, sobre Roma. El rey Víctor Manuel III, le entregó el poder. ¡Y sin haber librado siquiera una batalla, el dictador entra a Roma como emperador! A partir de ese momento, la sombra de la Segunda Guerra empieza a perfilarse.

Imperial War Museum, London

BNF

Nunca en la Historia, la venta de libros, de casa en casa, causará igual desconfianza: así fue como en 1920, Adolfo Hitler comenzó a dar a conocer sus ideas, vendiendo en las cervecerías y cafés de Munich opúsculos que más tarde formarían el texto de *Mein Kampf* (Mi lucha). De 1920 a 1930, sus ideas tuvieron gran eco en una población sometida a las restricciones y a la ocupación de los centros industriales que hicieron los vencedores de 1918. Una parte del pueblo alemán, al sentirse humillada, se abrió poco a poco a las ideas de aquel que sólo hablaba de revancha.

41

National archives Washington

Respeto al Dogma —y por ende obediencia al padre y a la madre— y respeto a la conciencia interior del hombre, estos eran los rasgos esenciales de la educación que el intendente Wojtyla transmitía a su hijo. Por supuesto, no faltaron las mañanas difíciles en las que había que lavarse con agua helada y tiritar incluso cuando se iba a la escuela por caminos llenos de nieve. Pero "Lolek" nunca se quejaba. Le encantaba jugar en los caminos con nieve. El joven Karol dividía su tiempo entre la escuela primaria, donde era sobresaliente, y la vida de la parroquia, pues su hermano Edmond se había ido a la universidad de Cracovia "a estudiar medicina". A diferencia de los niños de su edad, iba con mucha frecuencia a la iglesia de Nuestra Señora. Muy a menudo iba en compañía de su madre. Así, muy pronto ayudaría en la misa. También le apasionaba el fútbol, había elegido ser portero: *el que se lastima mientras los otros se quedan parados.* ■

▼ *San José Carpintero*, George de la Tour, El Louvre, París.

Gamma

▲ Karol Wojtyla niño.

Las primeras penas

Ya pesar de su inmenso dolor, Karol permaneció de pie, a la altura de sus nueve años, cuando la tierna mirada de Emilia dejó de brillar, en el año de 1929. Murió a causa de una enfermedad de los riñones. A partir de entonces, Karol se crió en un hogar sin la dulzura de una madre, a pesar del empeño que ponía su padre; el joven Wojtyla se refugió en los brazos de la Virgen María, al igual que Cristo lo había hecho antes. Por la mañana, de camino a la escuela, se detenía en la iglesia para rezar. Como era un niño de buen corazón ayudaba en la misa con fervor, buscando inconscientemente borrar alguna falta que no había cometido. Se reprochaba no haber tenido tiempo para darle a su madre suficiente amor. Karol sufría, pero nunca lo manifestaba. Por el contrario, sus amigos señalaban su entusiasmo y alababan su gentileza.

Su padre había dejado de trabajar y se consagraba plenamente a su hijo. Se ocupaba de la casa, le enseñaba los principios de la religión y enfatizaba la importancia de la libertad de conciencia recíproca establecida por el Concordato de 1925. En una nación en calma, padre e hijo vivían dichosos hasta ese día de 1932, cuando murió Edmond, su hermano, víctima de tifo. Edmond se había contagiado en el hospital, donde empezaba a ejercer la medicina. Karol tenía apenas doce años. Los vecinos cuentan que el pequeño Karol se acercó a su padre, y a pesar de su inmenso dolor, le puso la mano en la espalda y le susurró con ternura: "Valor, papá. Es la voluntad de Dios."

43

El jueves 24 de octubre de 1929, los valores de la Bolsa de Nueva York se desplomaron.

Desde el final de la guerra, Estados Unidos financiaba la ayuda a los países europeos y sostenía las inversiones de sus empresas, gracias a las familias que compraban acciones.

Pero el mundo de la especulación funciona vendiendo grandes cantidades de títulos para provocar una baja e inmediatamente comprar a precio bajo.

Así, con ventas importantes, las cotizaciones se desplomaban, los inversionistas quedaban en la ruina.

Estados Unidos suspendió su ayuda a Europa y repatrió sus capitales.

Las fábricas cerraron. La lista de desempleados aumentó. Reinaba la miseria.

Hitler llegaba al poder.

G. Dutriac

Keystone

Bildarchiv Preussischer Kulturbesitz

Gamma

▲ Karol Wojtyla al final de su adolescencia.

44

El niño Karol era entonces ya como la pequeña llama que brilla cuando el corazón es tan grande que no se piensa en el futuro. Así, el don que Karol había recibido se manifestaba públicamente y sólo él podía sopesar los efectos sobre su vida. Con un padre recluido en la melancolía, la casa ya no tenía vida. Refugiado en el mismo silencio, el pequeño seguía ayudando en la misa con fervor. Poco a poco, la religión se fue convirtiendo en un recurso mediante el cual lograba esconder a los demás *lo mucho que había bebido su dolor en la soledad*. Así fue como Karol Wojtyla vivió sus años de educación básica y media en Wadowice. Sus profesores lo describían como un adolescente sin historia, buen compañero y excelente alumno. Le apasionaban todas las materias, entre ellas la filosofía, y le gustaba el contacto con los otros. Decidió entrar en el grupo de teatro del profesor Kotlarczyk. Este profesor influyó mucho en él. Durante esos años de repetición y distribución de papeles teatrales, Karol aprendió a vivir en comunidad, a dominar las emociones y a superarse a sí mismo. Con el empuje de Kotlarczyk aprendió a modular su voz, a comentar un texto y a comprender la génesis de los acontecimientos que dramáticamente confrontarían a su generación.

En efecto, desde 1928, al ofrecerse un número cada vez mayor de diputados al Partido Nacional Socialista, Alemania perdía poco a poco la razón. Karol tenía trece años cuando la senilidad trastornada del mariscal von Hindenburg y la ceguera voluntaria de Europa occidental, permitieron que Adolfo Hitler se convirtiera en canciller de la manera más democrática del mundo. Poco después, el viento del antisemitismo sopló en Europa y avivó los fuegos del odio. Pero en el hogar de los Wojtyla se vivía según la fe evangélica. A los que se asombraban de ver que Karol compartía sus momentos de recogimiento en la iglesia de Nuestra Señora, con su amigo Jurel Kruger —hijo del presidente de la comunidad judía—, el joven feligrés les respondía: "Todos somos hijos de Dios." Wojtyla y Kruger no se separaban. Su amistad redoblaba las fuerzas del capitán Wojtyla.

Desde entonces llevaba a los dos niños a todas partes, incluso a los sitios históricos y de la vida poética de su Polonia. Al despuntar el año de 1936, ya se mostraba complacido por la amistad de su hijo con una adorable adolescente ashkenazi. Karol quería mucho a Ginka quien, dos años más grande que él, hubiera podido ser la hermana mayor cuyo recuerdo había acompañado su infancia. Esta amistad se reforzó cuando las primeras persecuciones antisemitas se intensificaron. El liceo Marcin-Vadovius estaba dividido. Karol tomó la palabra para recordar a sus camaradas que "el antisemitismo es anticristiano". Pero no tuvo efecto. Y fue citando al poeta polaco Adam Mickiewicz: "Estima y ayuda al judío, nuestro más antiguo hermano, en su camino por la dicha eterna", como Karol expresó su beneplácito por la salida de la adorable Ginka a Palestina.

Al terminar su bachillerato, siguió los cursos de filosofía y teología en la universidad de Cracovia. En septiembre de 1938 los Wojtyla se instalaron en la calle de Tyniecka, en el barrio italiano de Cracovia. Momento este en que Europa "por temor de avergonzarse de la guerra", descubría, según las palabras de Saint-Exupéry, que "se avergonzaría de la paz".

La vida no era fácil, pues vivían precariamente con la jubilación del capitán Wojtyla. Karol también ganaba un poco de dinero calentando el perol de la comida de los obreros que trabajaban en las obras cercanas a sus obscuras viviendas, ubicadas en los sótanos. Luego de conocer al poeta Juliusz Kydrynski, participó en la creación del teatro *Studio*. Su personalidad impresionó tanto al gran Nijinski, que incluso le dio un papel en una comedia musical. Pero el *actor* no olvidaba su espiritualidad y seguía ayudando en la misa en la catedral del Wawel. Fue precisamente durante el oficio del viernes primero de septiembre de 1939, cuando Karol escuchó el aterrador eco de las botas nazis que hundirían a Polonia en una noche obscura, de la cual despertaría con dificultad cincuenta años más tarde. ∎

Depardon

Bildarchiv Preussischer Kulturbesitz

Las
noches polacas

Mientras la Luftwaffe impregnaba el cielo polaco con las marcas de su demencia asesi-
na, el joven Karol, por órdenes del padre Figle-
wicz, continuaba el oficio. Una vez terminada la
misa, Karol corrió por Cracovia, llegó a su domi-
cilio casi sin aliento. Sus zancadas se agranda-
ban a pesar del estruendo que causaban las bombas, de los gritos de aquellos que caían para no
levantarse más y de la visión aterradora de los
niños separados de sus madres. Terriblemente
inquieto, su padre lo esperaba en la calle Tyniecka con un pobre equipaje hecho de prisa, los

Keystone

Wojtyla, padre e hijo, se lanzaron al éxodo. Iban caminando hacia el Este, avanzaron con dificultad durante horas, junto con miles de refugiados. La noche empezaba a disimular la humillación de todo un pueblo, obligado a meterse en zanjas para poder escapar milagrosamente a las balas de los *Stukas* del III Reich.

Luego de una caminata extenuante de casi 200 kilómetros, el convoy fue detenido. Los rusos habían declarado la guerra a Polonia y ya habían ocupado la ciudad de Rzeszów. Karol y su padre reflexionaron frente a esa situación. La destrucción de la Iglesia ortodoxa del Santo Salvador de Moscú, ordenada por el jefe del Kremlin en 1923, estaba tan viva en sus memorias que no hubieran podido quedarse entre los moscovitas; así que retomaron el camino de regreso. La fatiga del camino era tal que Karol tenía que ayudar a su padre a caminar. En esa noche dramática, cada ruido parecía una agresión. Al fin llegaron a Cracovia. La ciudad era sólo ruinas y humo espeso en el que se consumían

lentamente las llamas, cual si fueran una libertad cuyo duelo vivían los Wojtyla. El 6 de septiembre, las tropas hitlerianas controlaban su ciudad. Dos semanas más tarde, una Varsovia extenuada entregaba las armas. En treinta días, Polonia acababa de perder veinte años de independencia, mismos que había logrado en dos siglos. Y lo peor es que tenía que hacer frente a dos tiranos: Stalin se anexaba la parte oriental del país y Hitler se ocupaba del resto. *La voz demente que venía del Reich* había afirmado: "Yo haré que Polonia sea un viejo nombre olvidado en los mapas."

El Führer había confiado el mando de las provincias polacas a Hans Franck. Era uno de los que, antes de 1933, se consideraba como "lo peor sin grado", mismos que el nazismo había promovido, gracias a sus ideas simplistas sobre el nacionalismo y sus eslóganes sobre la superioridad de la raza. Hitler se apoyaba en los "frustrados" de ayer, quienes mediante la guerra lograban creer que existían un poco.

▲ Caricatura del pacto germano-soviético de 1939.

A partir de otoño de 1939, el nuevo amo de Varsovia empezó a cobrar a los vencidos sus frustraciones pasadas: ordenó el cierre de las universidades, la destrucción de las sinagogas, la desacralización de los lugares de culto y las deportaciones masivas. Llevó la indecencia al extremo cuando hizo que la cruz gamada flotara sobre la catedral del Wawel. La destrucción de la identidad polaca era un asunto planeado y realizado a paso acelerado, de manera sistemática y racional. Hitler, precursor de cierta idea muy personal de la mundialización de la economía, había decidido que Polonia se convirtiera en el reservorio de empleos bien pagados de los industriales alemanes. Por ello, ¡para el Reich sólo eran dignos de sobrevivir los obreros y los campesinos! Los estudiantes, intelectuales, burgueses, curas y judíos, todos ellos considerados como inútiles, serían perseguidos, detenidos, deportados y ejecutados.

Los campos de concentración se construyeron en un abrir y cerrar de ojos. Muy pronto, en el cielo de Polonia se elevó ese humo negro de los hornos crematorios de los campos de Treblinka, de Auschwitz y de Majdanek que, aún ahora, son la vergüenza de todo aquel que se dice Hombre. Para escapar a las persecuciones, Karol Wojtyla no tuvo más remedio que enlistarse como trabajador manual. La medida de sus hombros y las características de su mentón, le permitieron obtener la famosa *"Arbeitskarte"* —credencial de trabajo—, bálsamo precioso que evitaba la deportación. A los veinte años, Wojtyla entró a la cantera de Zakrzowek, perteneciente al grupo químico Solvay, situado muy cerca de su barrio y estaba dirigido por un polaco y vigilado por el ejército alemán. En ocasiones, a menos treinta grados, Karol manipulaba el mazo y cargaba la grava en vagones: a menudo tenía que jalarlos pues los rieles se congelaban. Con los dedos entumidos, los pies insensibles, el seño oprimido por el frío intenso, las mandíbulas apretadas para no desmoronarse frente a la acción de los asesinos, así fue como el joven actor romántico del *teatro rapsódico* tuvo noticias de la resistencia. Si bien los ideólogos nazis querían destruir al hombre, el resultado fue un Papa. Para su mayor castigo, sería el Papa de los derechos del hombre.

Durante este periodo, en el que su futuro se confundía con esa campiña polaca, estancada en un invierno interminable, Karol Wojtyla sacaba provecho de sus sufrimientos y de su soledad y se acercaba inexorablemente a Dios. Encorvado bajo su carga y atormentado por el hambre como todos sus demás compañeros de trabajos forzados, "Lolek" reencontraba una vez más el sentido de la vida en comunidad. Así como los primeros cristianos que forjaron su humanidad con un trabajo fatigoso, así Karol vivía las persecuciones, como un acto por realizarse y los servicios cotidianos como un sacrificio modesto que testimoniaba su amor por Cristo. Protegido por su fe, defendía a sus compañeros, respondía también a sus aspiraciones religiosas despreciando así la prohibición explícita de los kapos que fusilaban por placer. ∎

▲ Persecución de los judíos en el Ghetto de Varsovia.

La invasión de Polonia provocó la declaración de guerra de Francia a Alemania. Los dirigentes franceses recordaban la advertencia de Winston Churchill: "Tienen la elección entre la guerra y la deshonra. Han elegido la deshonra y tendrán la guerra..."

Detenidos, deportados, convertidos en obreros "voluntarios", los hombres se estremecían y perdían su dignidad en la Europa atacada por los nazis.

¿Qué podían hacer los nazis contra la expresión de los artistas y
la de los niños, quienes a pesar de los bombardeos seguían
creando, jugando y amándose sin distinción de raza?
¿Qué podía hacer Hitler en contra del amor? Así, la gran
bailarina inglesa, Edna Brown, bajo esa manifestación
desenfrenada de los V 1, fue a la iglesia y le dio el "sí"
a su novio, un piloto de la Fuerza Aérea Real.

La Piedad con un donante y santos. Roger Van der Weyden. National Gallery, London.

50

Así, poniendo en peligro su vida, organizó incluso una misa, en memoria de un camarada muerto a su lado. Ese hombre joven de veinte años sólo encontraba refugio en su conciencia, pues no imaginaba tener otros compromisos.

Cada tarde, se encontraba con su padre a quien tenía que cuidar y alimentar pues el dolor de la patria polaca había mermado sus fuerzas. Protegido por la noche, Karol, *obrero-esclavo* de día, desafiaba a *la gran Alemania* durante la noche refugiándose en los libros y en la oración. En lo más profundo de la noche del 18 de febrero de 1941, rezó más intensamente que de costumbre. Ese día, regresaba por la tarde de una jornada de

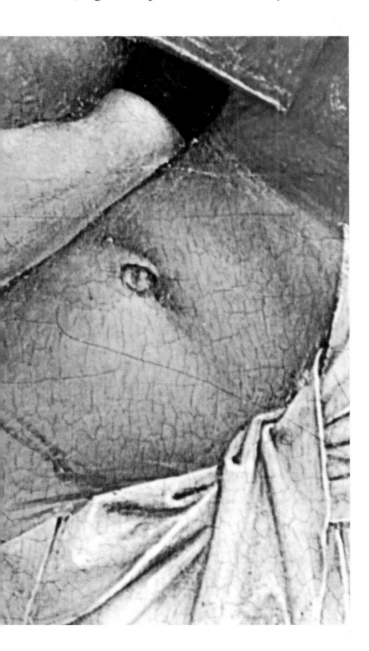

humillación como las demás y encontró el cuerpo de su padre sin vida. El capitán Wojtyla, oficial de estado mayor, asignado a la intendencia del duodécimo regimiento de infantería, había depuesto sus armas definitivamente. Sin ayuda de nadie, Karol preparó a su padre, se arrodilló cerca de la mortaja y se sumergió profundamente en su búsqueda de Jesucristo. Mientras una pálida mañana sucedía a esa noche de inmensa soledad, Karol se levantó de sus meditaciones para entrar en la religión. Mucho más tarde, cuando se convirtió en uno de los Grandes de este mundo, quienes lo escucharon sabrán que cuando habla de la miseria y el desamparo, este hombre sabe de lo que habla.

A partir de ese día, la vida de Karol Wojtyla tomó otra vía. Obrero de día, se deshacía de sus cadenas por la noche con su amigo poeta Juliusz Kydrynski. Desafiando el peligro de la deportación, los dos cómplices organizaban lecturas de textos de San Juan de la Cruz. Improvisaban puestas en escena de las obras de Adam Mickiewicz. A imagen de esos extraordinarios republicanos españoles quienes, a falta de armas, iban al combate recitando poemas sobre la libertad, así Karol daba representaciones públicas, a riesgo de ser denunciado. Mientras que otros se hacían maquies y se armaban, la resistencia de Karol Wojtyla tomaba otro camino. Con su espíritu eslavo impregnado de romanticismo, enfrentaba a la noche del absurdo con la luz de su fe.

Fe en su patria. Fe en la fuerza de las palabras frente a las órdenes bárbaras. Fe en el hombre frente a aquellos que habían dejado de serlo. Fe en su creencia inmutable, frente a una ideología que deseaba ver extinta. Fe en la vida, como aquella noche en que un conductor nazi lo aventó con su automóvil. El nazi no se detuvo y a menos veinte grados, Karol se quedó inerme en la nieve, con la cabeza fracturada. Al amanecer, los que lo levantaron lo creyeron muerto. Pero su fe inquebrantable en Dios vino en su ayuda y le dio la fuerza de vivir.

Un día en un tren se encontró por azar a su antiguo profesor M. Kotlarczyk, quien inmediatamente volvió a formar un grupo con los adolescentes apasionados por el teatro de Wadowice. Siendo a la vez actor y autor, Karol, influido por la Biblia, se lanzó a la escritura. Participó en el nacimiento de un periódico prohibido por la Gestapo. Asumía en él las funciones de redactor, en cuanto podía salir del campo de trabajo. En una Polonia de fuego y sangre, esos jóvenes arriesgaban sus vidas por la publicación de algunas páginas de poesía, de la misma manera que el poeta Federico García Lorca lo había hecho en España. Así como Paul Eluard, condenado al mundo de las sombras por haber escrito estos simples versos: "Libertad, yo escribo tu nombre..."

Los nazis no querían y no podían comprender. Eran impotentes. Las palabras no se pueden matar con balas. El nombre de Wojtyla figuró entonces en la lista negra de terroristas peligrosos y fue buscado activamente. Karol había decidido, pasara lo que pasara, que se sacrificaría hasta el martirio. ¡Viviría su fe! Es así como participó en una peregrinación a Jasna Gora donde, clandestinamente, se inclinó largos minutos en el santuario de la Virgen Negra. Reina de Polonia. Reina de todas las madres. Desde hacía cuatro años, llevaba una doble vida. Sojuzgado de día, de noche se elevaba sin sacrificar nada de su aprendizaje religioso, hasta ese domingo negro, en el que por fortuna Dios vino en su ayuda.

En sus botas impecablemente lustradas, Hans Franck se admiraba sin cesar. En su uniforme de SS, rígido y ajustado, el espejo le regresaba la imagen, ya abotagada, de un servidor celoso de la solución final. Empero, no podía dejar de hacer muecas, le dolía la cabeza. La víspera, se había vuelto a embriagar a muerte. Violar a las jóvenes campesinas amedrentadas ya ni siquiera le divertía. Los hombres de la Gestapo no lo dejaban en paz. En Berlín, el Führer había entrado en un estado de cólera terrible. ¡Quería resultados y los iba a tener! A pesar de esa migraña es-

pantosa, Hans Franck silbaba. Ese primer domingo de abril de 1944 sería un bello día para el Reich, Hans iba a *despedazar polacos*.

La ráfaga terrible empezó al amanecer. A los "ejecutores" del Reich les gustaba sorprender a sus víctimas a salto de cama. "Asesinos" del fracaso del hombre, esos "mandatarios" de una justicia despiadada, aniquilaban repentinamente a todo ser humano de quince a cincuenta años. Los que intentaban huir eran derribados. Aquellas que lloraban eran derribadas o violadas, según la edad. Las ráfagas de armas automáticas, vociferaciones de la Gestapo, ahullidos de perros, Cracovia estaba en manos de las heces de la humanidad. Frente al número 10 de la calle Tynieck, las botas de la SS se detuvieron...

La Cantera

Las manos son el paisaje del corazón.
Sucede que a veces se agrietan
de barrancos que excavan una fuerza mal definida.
Esas manos, el hombre no las abre
sino cuando están agobiadas de labor.
Y él ve: gracias a él irán en paz
otros hombres.
Las manos son un paisaje.
Cuando se agrietan,
la pena corre por sus heridas,
libre como un torrente.
Mas el hombre no piensa en el dolor.
El dolor no es grande en sí mismo.
Y su verdadera talla, él no sabe nombrarla.

Karol Wojtyla, llamado "Andrzej Jawien".

▲ *El Osario*. Picasso. 1944. M.O.M.A, Nueva York.

▲ *El Sabio*. Paul Klee.

Mientras que las culatas nazis derribaban puertas, Karol Wojtyla eligió abstraerse del mundo. Se tendió en el mismísimo suelo con los brazos en cruz, dedicaba sus pensamientos a la compasión de la Virgen María. Entre la confusión y los gritos de espanto de los que van a morir, entre las risas inmundas de los que hacen sufrir, "Lolek" era esa pequeña flama roja que recordaba la presencia eterna del Espíritu. Así, mientras que los de la SS escudriñaban sistemáticamente hasta el más mínimo rincón, esa ocasión olvidaron aquel pobre sótano en el cual, por primera vez, vino la luz.

Cuando el silencio se hizo presente de nuevo, Karol dio gracias a Dios: "Por Cristo, por la Virgen, mi madre" y se comprometió con la religión de por vida. Sin más ni más, cerró las puertas de su casa. Con plena conciencia las abría al Señor de par en par. El arzobispo Sapieha recibió a Karol con la satisfacción de no haberse equivocado aquel día de 1938, cuando había descubierto en ese joven talentoso una verdadera fibra religiosa. Adam Sapieha provenía de una familia aristócrata, afectuosamente lo llamaban "el príncipe". Se había ordenado arzobispo en Cracovia, en 1925, y no se adaptaba a las circunstancias de la ocupación. Muy por el contrario, imponía y daba órdenes. Así fue como hizo que se tachara el nombre de Wojtyla de las listas de la fábrica Solvay, con el fin de que su nuevo seminarista no fuera considerado como desertor, o fuera detenido y deportado. Preocupado por la seguridad de la Iglesia en el futuro, el príncipe Sapieha escondía a todos sus jóvenes en las cavas del arzobispado.

Una nueva vida comunitaria empezaba para Karol, y "eso le encantaba". Mientras que los seminaristas completaban su formación en la penumbra, debido a la negación de la fe dictada por los ocupantes, Monseñor Sapieha se mostraba inflexible en relación con sus votos. A los 78 años, Adam Sapieha expedía a los judíos certificados de bautismos y creaba redes de exfiltración para salvar a los niños mártires. *Peñón de la Fe*, Monseñor Sapieha era un modelo para Karol. Era una verdadera figura legendaria en Polonia, un día le dijo a Hans Franck: "Incluso su Führer fue bautizado y créame, muy pronto, tendrá necesidad de la fe." De manera profética, agregó a su frase: "En el crepúsculo de su vida, incluso él, a pesar de lo negro de su alma, tendrá un último gesto de humanidad." De hecho, en el secreto de su búnker en Bavaria, antes de escapar al juicio de los hombres, Hitler se casó con su compañera Eva Braun.

El 13 de enero, mientras que Normandía resonaba al ritmo de las notas de Glen Miller desde hacía seis meses, Stalin lanzó su mayor ofensiva contra el ejército alemán estacionado en Polonia. Hitler y Stalin, aliados en el pasado, iniciaban una nueva batalla, en la cual resulta difícil saber quién era el más cruel. Cuando al fin las armas automáticas guardaron silencio, la patria de Karol Wojtyla mostraba al mundo más de seis millones de víctimas. Entonces, quienes aún lo

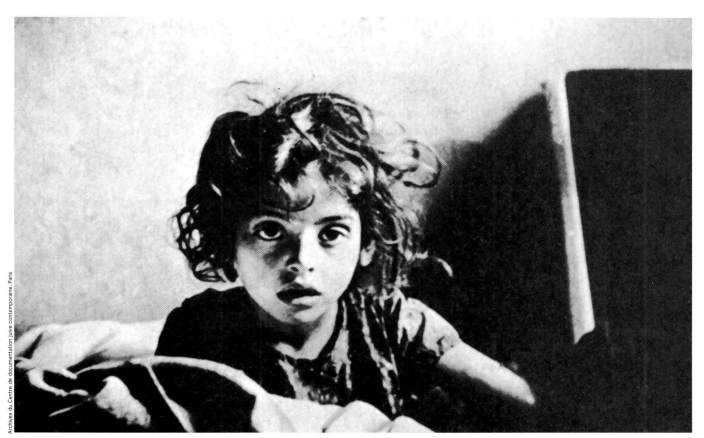

▲ El martirio de los niños de los campos de concentración.

ignoraban descubrieron todo el horror de los campos de concentración. Cuando se abrieron las puertas de Treblinka, de Sobibor, o de Auschwitz, "se supo de lo que era capaz el hombre".

Por doquier se veía a los sobrevivientes embriagados con la libertad reencontrada. Mientras que Francia tendía sus brazos a los G.I., un pequeño conmovió a París henchido de fraternidad, cuando declaró en el micrófono de los reporteros: "Papá no volvió." En otros lados se perseguía a los culpables. Incluso peor, se descubría lo inimaginable: ¡Hubo franceses que se unieron a la locura de los ocupantes! ¡Funcionarios de Francia habían participado en el genocidio! Empero, aún no se sabía que sería necesario esperar más de medio siglo para juzgar a esa Francia indigna de su Historia. Mientras los vencedores pensaban en el mundo de la posguerra, se daban a conocer, tanto el suicidio de Hitler, como la explosión de bombas atómicas sobre Hiroshima y Nagasaki. La guerra había terminado.

El hombre quedó marcado para siempre por las atrocidades cometidas en su nombre. Se terminaba así ese capítulo de nuestra historia que nos llama a inclinarnos frente a la fuerza excepcional de un niño de Auschwitz, cuyo único crimen era ser judío. Esa criatura de nueve años, que hubiera podido ser nuestro hijo, él solo consumó para la eternidad la derrota de aquellos que desprecian al ser humano. En la puerta del horno crematorio, el pequeño Halpern ofreció a los nazis un regalo que, incluso ellos, no tuvieron la indecencia de destruir. Era un dibujo en el cual el sol brillante dominaba para siempre sobre los humos negros de la muerte. Así iluminó este pequeño sus últimos instantes y con ello, nuestra conciencia para siempre.

Karol Wojtyla dio la espalda definitivamente a esta época marcada por el instinto de muerte y se ocupó de la vida: se volvió sacerdote. ■

▲ Dibujo de George Halpern para su mamá hospitalizada en Francia. Este hijo de Isaías, deportado a Auschwitz en 1944, le dio su dibujo a sus verdugos.

Photographies Lochon / Gamma

▲ Cuando hizo su primer viaje a México, Juan Pablo II besó la tierra que lo recibía. Este gesto se convirtió en un rito.

Desde el instante mismo de su elección, el mundo sintió el deseo de confiar sus esperanzas a un hombre nuevo. La llegada inesperada de Juan Pablo II, un Papa fuera de lo común, cristalizaba la espera de las sociedades que sentían la necesidad de cambiar. Juan Pablo II lo sabía y sin ambages ubica su pontificado bajo el sello de la evangelización. Más que una estrella de los medios, sería el embajador de Jesucristo.

Embajador de Jesucristo

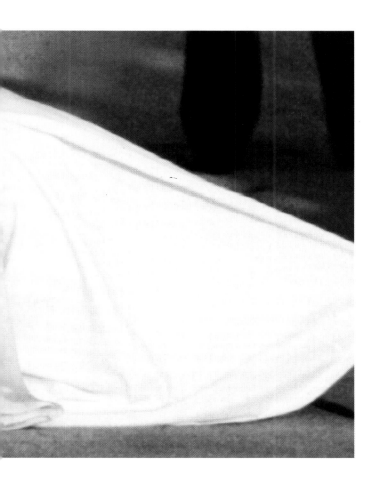

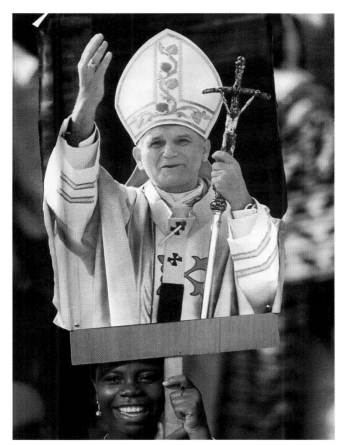

Gabón, 1986.

Se ordenó sacerdote a los 26 años, en 1946; a los 34 años era titular de una cátedra de teología en la universidad de Cracovia; fue consagrado obispo a los 38 años; arzobispo de Cracovia a los 43 años; posteriormente, el 9 de julio de 1967, se volvió cardenal por mandato de Pablo VI, y finalmente el 6 de octubre de 1978 se convirtió en Papa. La ascensión de Karol Wojtyla se debe a su fe inquebrantable, impregnada de progreso en la catequesis y de dogmatismo en la práctica de la religión. Para Karol Wojtyla el culto está estrechamente vinculado con la familia y con la práctica cotidiana de la oración. "Jesucristo no es una práctica de tiempo parcial", son sus palabras. Este Papa ha sido el padre de todos aquellos que quieren reencontrar una expresión más dinámica de su fe. Igualmente, ha sido el "patrón" de la Iglesia universal. Desde principios de enero de 1979, los obispos de América Latina se dieron cuenta de ello. Durante veinte años el mundo ha recibido al "Papa supersónico".

En todos lados, Juan Pablo II provoca el entusiasmo de la juventud.

México, enero de 1979

El Boeing 747 anunció su llegada, mientras sobrevolaba la Ciudad de México, ese 26 de enero de 1979. Juan Pablo II meditaba en la parte superior de la nave acerca de la misión que traía en ésta, su primera visita a tierras mexicanas. Venía a inaugurar la III Conferencia General del episcopado latinoamericano. El clima era incierto pues, aunque el catolicismo es practicado con fervor en este país, desde la Constitución de 1917 la Iglesia fue separada del Estado. Empero, el Papa no es de los hombres que se esconden. Venía, sobre todo, a restaurar la esperanza de los pobres y a reorientar a una Iglesia local que, agobiada por los sufrimientos del pueblo, en ocasiones había tomado el camino de la protesta social.

En efecto, tras la Conferencia General Episcopal organizada por Pablo VI en Medellín en 1968, se empezaba a extender entre los sacerdotes la tan conocida "teología de la liberación". Frente a los excesos de los regímenes dictatoriales, la tentación de la lucha armada y la adopción de las tesis marxistas crecía en el clero latinoamericano. Pero para Juan Pablo II, quien había vivido la cotidianidad del comunismo durante más de treinta años, esta vía era *impracticable*. La víspera, en Santo Domingo, había manifestado con claridad su posición doctrinal: "La verdadera liberación reside en proclamar a Jesucristo, libre de toda atadura, presente en los hombres transformados, convertidos en nuevas criaturas." El Papa sonreía mientras se abrochaba el cinturón para el aterrizaje. En los barrios pobres de Las Minas, el mensaje fue comprendido. Había logrado que la multitud que manifestaba su fervor coreando su nombre, "¡Juan Pablo, Juan Pablo!", rimara su piedad al grito de "¡Jesucristo, Jesucristo!".

Un inmenso clamor cubrió la algarabía de las afueras de la Ciudad de México. El avión del Papa se inmovilizaba sobre la pista. Un silencio impresionante siguió al ruido de los reactores. Con el ojo tras sus telefotos, cientos de fotógrafos se apresuraron. Apenas habían empezado los miembros del Gobierno Mexicano a oír los motores de las cámaras fotográficas, cuando la puerta se abrió. Prácticamente en sintonía, las campanas de la ciudad comenzaron a tocar a todo vuelo, en medio de un tremendo alborozo. Mientras el Obispo de Roma se incorporaba después de haber besado el suelo de México, el Presidente López Portillo se acercó. Con un firme apretón de manos recibió al Pontífice cual si se tratase de cualquier otro estadista visitante.

A pocos metros de ahí, mientras las dos partes cumplían con las formalidades protocolarias de rigor, muchos mexicanos, sobre todo los de condición humilde, se mantenían expectantes, orando en silencio. Querían ver, quizá si fuese posible hasta tocar, a Juan Pablo II. Hacía por lo menos tres días que se habían preparado para este

▲ Juan Pablo II y el presidente López Portillo.

61

maravilloso encuentro que dejaría huellas en sus vidas. A pesar de que el sol caía a plomo, se habían quitado el sombrero para honrar el paso del Papa en su vehículo. Poco les importaba el calor a estos campesinos, obreros, oficinistas; a todos esos veinte millones de emocionados fieles que en muchos casos habían hecho largos recorridos a fin de estar allí presentes, lo más cerca posible del líder de la cristiandad. En las manos agrietadas y encallecidas de los más pobres, en las profundas arrugas de muchos rostros, una vida de heroicos esfuerzos había dejado sus dolorosas huellas. Sin embargo este día, a la simple vista del hombre de blanco ropaje, todas las privaciones fueron momentáneamente olvidadas. Esta mañana del 27 de enero de 1979, la visita del Santo Padre se vivía como una verdadera jornada de liberación nacional. Con las manos levantadas, Juan Pablo II prodigaba sus bendiciones a ese pueblo que se entregaba a él. Era como si todo Latinoamérica se hubiera dado cita en el recorrido.

Photographies Gamma

Esta imagen de México, país que visitaría en otras dos ocasiones (1990 y 1993), anunciaba su futura presencia en el "continente de la esperanza", como él lo llama, en repetidas giras por Bahamas, Estados Unidos, Brasil, Argentina, Costa Rica, Nicaragua, Panamá, El Salvador, Guatemala, Belice, Haití, Canadá, República Dominicana, Puerto Rico, Perú, Ecuador, Venezuela, Colombia, Uruguay, Bolivia, Paraguay, Jamaica y, en 1998, Cuba.

A lo largo de la ruta hacia el centro de la Ciudad de México, pese a la eufórica actitud de hombres y mujeres entusiastas que le aclamaban o dejaban correr libremente las lágrimas, transidos de emoción, las carencias asomaban entre quienes se habían dado cita para formar las nutridas vallas. Disparidades económicas y sociales que desde hacía muchos años eran preocupación de la Iglesia Católica, pero mucho más claramente desde el Concilio Vaticano II, efectuado en 1965. Entonces, el proceso de renovación planteado en la Iglesia incumbió también a las organizaciones eclesiásticas mexicanas. En 1968, el episcopado del país publicó una carta en torno al desarrollo e integración nacionales, en la que denunciaba muchos males sociales subsistentes. Era el preámbulo a importantes cambios en las relaciones Iglesia-Estado. En 1972, el entonces Obispo de Cuernavaca, Sergio Méndez Arceo, fue el único jerarca católico mexicano que participó en la reunión denominada Cristianos por el Socialismo. Dos años después, el presidente Luis Echeverría Álvarez fue recibido por el Papa Pablo VI en El Vaticano: se había establecido una relación cordial, respetuosa, amistosa. Pero de ninguna manera podría hablarse de un intercambio formal a nivel diplomático.

En 1979, cuando Juan Pablo II visitó por primera vez México, la conquista de la tolerancia había ganado el respeto de ambas partes. La frialdad que dicha tolerancia había mantenido a lo largo de 48 años, desde el periodo gubernamental de Manuel Ávila Camacho, comenzaba a tornarse en reservada calidez.

Pese a ello y a estar seguro de haberse adentrado inexorablemente en el corazón del pueblo mexicano, una sombra de preocupación parecía ensombrecer, por momentos, la sincera sonrisa del Vicario de Jesucristo a través de su recorrido. Lo que tenía que decirles a los miembros de su Iglesia, a los sacerdotes de las ciudades y a los padres del campo, era muy claro.

Sabía que iba a provocar muchas decepciones. Miembro como había sido de la Resistencia contra la dictadura marxista en Polonia, conocía la importancia del papel de los sacerdotes y de la fe. Sin ignorar nada importante de la historia latinoamericana, quería a pesar de todo que la Iglesia fuese un muro de contención ante cualquier exceso. Dentro de su automóvil, que parecía detenido en medio del fervor popular que alcanzaba sus puntos más altos, la preocupación del Papa aumentaba. Veía a las personas, las tocaba. Adivinaba los sufrimientos en esas manos que le tendían. En las marcas de los rostros adivinaba todas las penas que habían vivido.

No obstante para él, el amor a Dios es inflexible y no puede tomar la vía de la violencia. Aunque todos peleaban por la liberación del hombre, Jesucristo no sería nunca el compañero de lucha del Che Guevara. Naturalmente, el Papa también comprendía la impaciencia de ese pueblo con grandes penurias. Cuando llegó a México, sólo tenía un objetivo: hacer que todos, incluso los dirigentes del país, comprendieran que el futuro debía de pasar por esfuerzos concertados para que "ya no haya trabajadores maltratados, ni se les quiten sus derechos; para que ya no haya sistemas que permitan la explotación del hombre por el hombre o por el Estado, para que ya no haya corrupción, para que no haya hombres que tienen todo en abundancia, mientras que hay algunos que carecen de todo sin que sean culpables de ello".

Así, en cuanto llegó a la Nunciatura Apostólica que lo recibió por la noche, Juan Pablo II pronunció un discurso enérgico.

Al día siguiente desde el amanecer, México se preparaba para vivir su segundo día de fiesta. A lo largo de los veinte kilómetros que llevarían al Santo Padre hasta Nuestra Señora de Guadalupe, con mucha anticipación se habían apostado millones de personas que lo aguardaban con ansia. Para no perder sus lugares a ambos lados del camino, se habían ido directamente del aeropuerto y habían pasado la noche esperando. Muchos de estos fieles sangraban, pues de acuerdo a una añeja usanza tradicional, el último kilómetro hasta la explanada de la Basílica de Guadalupe lo habían hecho de rodillas, por devoción.

Tras largas horas de espera, gritos de entusiasmo anunciaron la llegada del Sumo Pontífice. Todos los allí presentes se estiraban cuanto podían para tratar de verlo. El Papa apareció: era aún más hermoso de lo que imaginaron en sus sueños. De pronto, el automóvil se detuvo a la altura donde estaba cualquier hombre anónimo, al que la multitud empujaba hacia adelante. Casi como si fuera un milagro, el Papa acababa de tomar las manos del desconocido entre las suyas y se inclinaba hacia él. Los dos hombres se miraron fijamente. Entonces, frente a una mirada llena de humanidad, ese humilde y enternecido campesino se incorporó instintivamente, con una luz de esperanza en su rostro.

Como si por primera vez tuviera conciencia de ser un hombre cabal, el campesino se atrevió a hablar. Durante algunos segundos, le confió al Papa con humildad sus sufrimientos y esa obligación hecha a los humildes de México de conservar sus penas "en el secreto de su corazón". Del mismo modo como lo haría más tarde en Cuilapa, Oaxaca, con un indígena que había ido a hablar con él a nombre de los suyos, así también ahora el Sumo Pontífice abrazó fuertemente a este hombre. Luego, con lágrimas en los ojos, recorrió los pocos metros

que lo separaban del santuario de la Virgen Morena.

Allí, emocionado por aquel encuentro inesperado, Juan Pablo II pronunció una de las más bellas homilías de su pontificado: "Haced la Iglesia." Estas fueron las palabras con las que el Sumo Pontífice se dirigió a sus obispos. No era sólo un mensaje que enviaba a los que estaban tentados por salidas violentas; también era una

oración para que el hombre de fe se uniera a los que, en la explanada, esperaban tanto de él. Luego, frente a la Guadalupana, subrayando la importancia del amor que él esperaba dar al mundo, el Papa continuó con una imploración a María: "Repito estas palabras que anidan en tantos corazones y que tantos labios pronuncian en el mundo entero: ¡Dios te salve, María! ' ". En suma, desarrollando el doble sentido del "llamado a las conciencias", su voz se dejó oír: "Sed sacerdotes y religiosos, no seáis dirigentes sociales, líderes políticos o funcionarios de un poder temporal."

De tal manera, veinticuatro horas antes, Juan Pablo II había iniciado la III Conferencia General del episcopado latinoamericano que al día siguiente, en Puebla, habría de llevarse a cabo.

En Puebla eran cientos de miles los que, endomingados o andrajosos, esperaban la llegada de Juan Pablo II, a quien esperaban al grito de "¡Viva el Papa!". Un sinfín de orquestas tradicionales apenas lograban opacar las campanas de trescientas iglesias de la ciudad que repicaban a todo vuelo. Bajo toneladas de confeti lanzado al viento, Juan Pablo II tardó mucho más tiempo del programado en llegar al altar que le permitiría abrir la Conferencia General. Ciento treinta y ocho obispos, representantes de veintidós naciones, recibieron entonces un curso magistral de catequesis.

En el antiguo seminario de Palafox, la sonrisa del Papa se desdibujó. Se volvió implacable: "Tenemos que velar por la pureza de la doctrina." Juan Pablo II refutaba la teoría del Cristo militante: "Esta noción de un Jesús político, revolucionario, perteneciente a los disidentes de Nazaret, no está en armonía con la Iglesia." Luego, una hora después, dirigió sus palabras al hombre: "Es deber de la Iglesia el proclamar la liberación de millones de seres humanos."

De Puebla salió para reunirse con la grey de Guadalajara. Y después como para poner en práctica lo que acababa de decir sobre la liberación, el Papa visitó Cuilapa. Ahí se dirigió a los oprimidos de la tierra: "Los campesinos cuyo sudor moja incluso su propio agotamiento, ya no pueden esperar. Tienen el derecho de ser respetados. Tienen el derecho a no ser desposeídos de sus magros bienes, como resultado de maquinaciones que suelen ser robo puro y simple, pillaje..." Su voz era firme y su sinceridad auténtica. Sobre la tierra árida de Cuilapa, se vió a policías caer de rodillas y rezar. Las mujeres le tendían a sus hijos y le suplicaban: "No te vayas, Pablito."

Con similar emotividad lo recibieron en la capital oaxaqueña y en la ciudad de Monterrey, donde parecieron querer conservarle para siempre.

Pero el Papa tenía que partir hacia otras almas, a librar otros combates. Así, cuando al término de esta visita su avión tomó altura, millones de mexicanos agitaban espejos hacia el cielo, para darle testimonio de su confianza e indicarle que, desde ese momento, él sería *su luz*. ∎

68

Hoffmann

▲ ¿Detalle de la historia? ¡Cómo es posible atreverse a negar la Shoa (el Holocausto)!

▲ Un deportado muestra a un soldado estadounidense el corazón mismo de las cámaras de gas.

Auschwitz junio de 1979

Paralizado por la angustia, el prisionero se desplomó de rodillas frente al Lagerführer. Imploraba la piedad del comandante de campo. En efecto, como represalias a una fuga, Fritsch había elegido, para el suplicio, a diez desventurados del bloque 14. Un hombre salió de las filas y exigió tomar el lugar de ese camarada que se había desplomado. El oficial nazi le preguntó que quién era él para sacrificarse así. El hombre respondió simplemente: "sacerdote católico". Ese acto le costó que fuera encerrado con sus camaradas en el búnker del hambre. Sin agua, sin comida, su agonía duró dieciséis días. El 14 de agosto de 1941, el alma del padre Maximiliano Kolbe escapó a sus verdugos. El 7 de junio de 1979, el Papa Juan Pablo II caminaba, a su vez, en las veredas de Auschwitz.

Photographies Gamma

Se detuvo frente al búnker del hambre, respiró profundamente y entró solo en la pieza débilmente iluminada por un tragaluz en lo alto del techo. Juan Pablo II es el primer Papa de la historia que ha visitado un campo de la muerte; ahí se arrodilló sobre el piso de cemento, ese piso que en otro tiempo recibió el último aliento de su compatriota y de los otros condenados. Depositó un ramo de claveles rojos y blancos en el piso y rezó en memoria de todos aquellos desdichados.

Afuera de la celda, a pesar del tiempo primaveral que hacía en Polonia y de los campos salpicados de flores, los que acompañaban al Papa sentían escalofrío. Incluso los emisarios del gobierno y los tres ministros se mantuvieron cerca de los cardenales, que venían de Varsovia. Polonia hacía el gesto de la unidad nacional. Comunistas y católicos —enemigos acérrimos desde finales de la Segunda Guerra Mundial—, olvidaban sus diferencias y sus combates, para unirse y estrecharse. Todos sentían que ese gesto del Obispo de Roma era algo más que un símbolo,

mismo que intentó trillarse en los años que siguieron. En esa celda, Karol Wojtyla se comunicaba con su pueblo; rendía homenaje al Hombre. El antiguo arzobispo de Cracovia oraba por los parientes de sus amigos difuntos. El Vicario de Jesucristo daba una nueva dimensión a la fe que tenía en lo humano. El cardenal de Cracovia lloraba a los seis millones de polacos exterminados en *la noche nazi*. Mientras tocaba la tierra con sus labios, Juan Pablo II condenaba todos los holocaustos.

Por fin, el Papa salió. Cruzó la mirada de Stanislas Kania, ideólogo del Partido Comunista y responsable de las relaciones con la Iglesia. Los dos hombres se miraron, tenían los ojos enrojecidos por la emoción. En Varsovia, en el Ministerio de la Defensa, apostado frente a su canal de televisión y tieso por el corsé que permanentemente llevaba puesto, Wojciech Jaruzelski se persignó sin darse cuenta. Era la primera vez que el camarada general tenía algo en común con Karol Wojtyla.

Doscientos sacerdotes que habían sobrevivido al horror de Auschwitz esperaban al Papa, estaban en el lugar mismo donde se habían detenido los convoyes de la muerte. A lo largo de las vías, con un trozo de madera se había levantado un austero altar. Sobre él, se erguía una cruz con una corona trenzada con alambre de púas. Una tela de rayas blanco y gris colgaba tristemente. En ella había un número, el 16670, correspondiente al padre Kolbe. Durante largo rato, Juan Pablo II habló con un grupo de mujeres, sobrevivientes del campo de Ravensbrück. Luego, subió al altar. Eran las 4 en punto de la tarde. La misa dio inicio.

Juan Pablo II se dirigió a los padres que con él celebraban la misa: "Vuestro hábito es un hábito de sangre." El silencio era intenso. La emoción aumentó cuando pronunció su homilía: "A menudo he bajado a la celda del condenado a muerte Maximiliano Kolbe. Me he detenido frente al muro de exterminio y me he abierto paso entre los vestigios de los hornos crematorios de Birkenau. En tanto Papa, no tenía otra elección que la de venir aquí. Ahora que soy el sucesor de Pedro, Cristo quiere que yo testimonie frente al mundo entero, lo que hace la grandeza y la miseria extrema de la humanidad en nuestro tiempo. He venido para testimoniar la derrota del hombre y su victoria."

El Santo Padre inició la revista de todas las lenguas de las víctimas de Auschwitz: polaco, inglés, búlgaro, cíngaro, checo, danés, francés, hebreo, yidish, español, holandés, serbo-croata, alemán, noruego, rumano y húngaro. El mensaje era claro: Juan Pablo II no olvidaba a ninguna comunidad. Recordando el sacrificio del padre franciscano Kolbe, citó su primera encíclica de Papa, intitulada *Redemptor Hominis* (el Redentor del Hombre), publicada tres meses antes. Por primera vez, un sucesor de Pedro recordaba a los hombres y a las mujeres de todas las religiones y de todas las condiciones sociales.

Los especialistas habían señalado que Juan Pablo II magnificaba al individuo, imponiendo que

se respetara su dignidad y su grandeza de ser humano. Mientras que el sol comenzaba a ponerse detrás de las barracas siniestras, sus palabras se hicieron aún más precisas: "¿Basta con vestir a un hombre con un uniforme diferente? ¿Basta con armarlo con los instrumentos de la violencia? ¿Basta imponerle una ideología en la cual los derechos del hombre están sujetos a las exigencias de un sistema, tan sujetos que dejan de existir en la práctica?"

Su voz, teñida de emoción, subía en el cielo de Auschwitz. Dejaba ver una cólera justificada que la asistencia, hasta entonces recogida, apoyaba con aplausos tan liberadores como sorprendentes en un lugar así. Los comentaristas de la televisión de Estado polaca y numerosos periodistas extranjeros observaron el largo momento de silencio. En las estaciones de radio, había quien no podía retener los sollozos. Por segunda vez en treinta años, Auschwitz había sido liberada del odio del hombre.

En ese instante nadie podía dudar de la sinceridad del Papa. Sobre todo cuando empezó a evocar las diferentes estelas levantadas en la memoria de las víctimas. "En particular, quiero detenerme con ustedes frente a la inscripción en hebreo. Esta inscripción despierta el recuerdo del pueblo cuyos hijos e hijas estaban destinadas al exterminio total. Ese pueblo tiene sus orígenes en Abraham, nuestro padre en la fe. Ese mismo pueblo que recibió de Dios el mandamiento *no matarás*, vivió en carne propia y de forma excepcional, lo que significa matar. Es inadmisible que alguien pueda pasar indiferente, frente a esta inscripción." Luego rindió homenaje, entre otros, a Edith Stein, una estudiante judía quien, convertida al catolicismo, se hizo religiosa y a quien los monstruos de Auschwitz asesinaron como a millones más. Fue entonces cuando se acusó a Juan

Gamma

Pablo II de haber intentado hacer "una anexión cristiana de la Shoa". Se dijo que el Papa reducía a Auschwitz a la desdicha de un judío converso. Se hablaba del antisemitismo secular de la Iglesia polaca, olvidando que muchos sacerdotes habían pagado con sus vidas la protección natural que habían dado a todo ser perseguido. Se pensó que Roma quería lavar las posturas ambiguas de Pío XII durante la guerra apropiándose

del lugar que era símbolo del martirio del pueblo judío. Se volvió a hablar de la huida de los dirigentes nazis hacia Paraguay. ¡Incluso se hurgó en su pasado de niño de guerra! Al Papa llegaron todas las críticas de ese momento y las que siguieron cuando vino la instalación del convento de las carmelitas en el área misma de Auschwitz. Se dijo que se trataba de una estrategia que se estableció cuando estaba designado en Cracovia. Se le adjudicaron intenciones maquiavélicas, se decía: "Esta vez, es cierto, Juan Pablo II lanza una O.P.A. sobre Auschwitz." Sin duda alguna, el Papa bebía el cáliz hasta el fondo y tendría que vivir con esas críticas infundadas.

En realidad, el Papa iba más allá del simbolismo que comúnmente se le atribuía a ese campo de exterminio. Vivía en carne propia la necesidad de que cada hombre pudiera expresar toda su diferencia en ese cementerio de la conciencia humana. Para que el olvido no reinara en las generaciones venideras, quería que Auschwitz se convirtiera en el símbolo mundial de la reflexión y del perdón. En efecto, ese lugar sacraliza el resultado de los tiempos inmemoriales del odio antisemita. Pero Juan Pablo II no hacía distinciones en los hombres, ya fueran detenidos por comunistas, perseguidos por ser homosexuales, martirizados por ser cíngaros, condenados sistemáticamente por deficiencia mental o ejecutados simplemente por judíos. En Auschwitz, como en cualquier otro lugar donde Juan Pablo II defendía la dignidad de los seres humanos, se negaba a clasificarlos según el color de piel, su religión o la condición social.

Este hombre tan criticado, no había dejado de santificar lo humano: "No se puede ser cristiano y rechazar al otro." Por ello, condenará sin cesar todos los holocaustos y guiará a sus Iglesias hacia el arrepentimiento por los silencios que tuvieron en la Historia. En fin y sobre todo, invitará a los cristianos a reflexionar sobre las elecciones de vida en sociedad que excluyen cualquier forma diferente del ser humano. Que se quiera o no, ése es el Papa Juan Pablo II. ∎

▲ Juan Pablo II y la Madre Teresa.

74

▼ Gandhi.

Asís, octubre de 1986

Todo había comenzado nueve meses antes, en la dulzura del invierno de la India. Por primera vez, en febrero de 1986, Juan Pablo II se había encontrado con el dalai-lama. Los dos hombres compartían la misma sabiduría. Sólo sus religiones eran distintas. Ambos conocían la resistencia del espíritu a la opresión: "Orar, eso era luchar." Y cuando en el curso de su viaje, el Papa se inclinó sobre la tumba de Mohandas Gandhi —mártir de la violencia de los hombres— en ese momento prometió secretamente ofrecer al mundo un día de paz. Ese día reuniría a todas las religiones, honraría la memoria del Mahātmā y santificaría así la no violencia.

Desde hacía mucho tiempo, las reflexiones de Juan Pablo II habían manifestado la necesidad de combatir los dolores del hombre con la fe. En las calles de Londres resonaban los gritos de dolor de las víctimas del E.R.I. Los niños palestinos caían bajo las balas de los soldados israelíes. Tomados como rehenes, el pueblo de Tel-Aviv y de Jerusalén lloraban a sus hermanos y hermanas, víctimas de los atentados suicidas de las facciones palestinas. Apenas desmantelada, la banda de en Baader-Meinhof era reemplazada por las Brigadas Rojas italianas que intentaban decapitar a la democracia. ¡Cuántas veces había corrido la sangre en las calles de París y en su metro! Nadie se sentía protegido. Los estudiantes de Francia eran protegidos por militares armados. Incluso la intocable América había sido sorprendida en pleno corazón de Manhattan. El mundo había enloquecido. Poco importaba la altitud o la latitud, el hombre ya no sabía hablar, usaba su fuerza. Había que tomar la delantera en los nuevos tiempos. Adelantándose muchos años al mundo político, Juan Pablo II optó por hacer efectivo su deber de ingerencia, en Asís, el 27 de octubre de 1986.

▲ Juan Pablo II y el dalai-lama.

Esta reunión había sido preparada con la mayor diplomacia. El 13 de abril de 1986, el Papa había asistido a la sinagoga de Roma. Nunca antes, ningún Sumo Pontífice había llevado a cabo tales gestiones. Juntos, el Papa y el gran rabino Elio Toaff borraban dos mil años de fractura. El espectro del pueblo deicida se desvanecía en las sonrisas de dos líderes religiosos. De la misma manera, ese mismo año, Juan Pablo II influyó profundamente para que la comunidad musulmana de Italia, mostrara su orgullo por la construcción de la mezquita más grande de Europa. Luchando contra las fuerzas tradicionalistas de su Iglesia, Juan Pablo II incluso permitió que se edificara en el centro de *La ciudad Eterna*. Respetuoso de una fe plural, este Papa ecumenista aplicaba simplemente los principios de la religión cristiana: "Ama a tu prójimo como a ti mismo."

La elección de Asís no era casualidad. Era la ciudad de San Francisco, el más pacífico y el más dichoso de los santos. Por su parte, el calendario había hecho las cosas de manera singular. Unos días antes, enmedio de la escarcha de Reykjavik, la paz se había congelado violentamente. El desacuerdo notorio entre los presi-

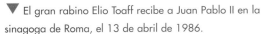

▼ El gran rabino Elio Toaff recibe a Juan Pablo II en la sinagoga de Roma, el 13 de abril de 1986.

▲ Juan Pablo II y el papa Bartolomeo I.

dentes Reagan y Gorbachov volvía a avivar la carrera armamentista que la reunión de Asís intentaría frenar. Como preludio de esta jornada de la paz, Juan Pablo II había lanzado, a todos los combatientes de la tierra, un vibrante llamado a la "tregua universal". El Santo Padre despertaba al hombre de buena voluntad. Se dirigía a todos, ya fueran militares, responsables de gobiernos o jefes de bandas armadas. El Papa condenaba los atentados y quería el diálogo, incluso con "aquellos que buscan alcanzar sus objetivos mediante el terrorismo y la violencia". En su alma eslava, intentaba que la palabra hiciera que el Bien triunfara. Su demostración de fuerza sería espiritual.

En la nave de la iglesia de Santa María de los Ángeles, Juan Pablo II sonreía. Todos estaban ahí: sintoístas, hindúes, musulmanes, budistas, judíos, bahaístas, jainistas, católicos, protestantes, sikhes, sacerdotes africanos, amerindios e incluso zoroástricos. La fe de los habitantes de la tierra resplandecía en la dicha de los servidores de Dios. Las cámaras de televisión enviaban la imagen de ese fresco alegórico. El Santo Padre se levantó. Con una voz llena de ternura se dirigió a sus invitados: "No vamos a orar juntos, sino vamos estar juntos para orar." Todos se levantaron. Cada uno se dirigió a su Dios. Durante largos minutos, el mundo meditaba. El silencio era ensordecedor, las armas se habían callado.

Juan Pablo II prosiguió: "Si el mundo debe seguir y si los hombres y las mujeres deben sobrevivir en él, no pueden prescindir de la oración." A su lado, Tenzin Gyatso, el dalai-lama estaba contento. Intercambiaron una mirada. El Obispo de Roma le sonrió. Pensaba en la soledad de su amigo y en su exilio del Tíbet. Ambos compartían el amor por una tierra natal ahogada por la larga noche de los totalitarismos. Mientras que las grandes potencias guardaban silencio, él quería dar la palabra para siempre a los pueblos amordazados.

La tarde estuvo consagrada a la oración y al ayuno. Las comunidades religiosas se diseminaron en los diferentes lugares de culto de la ciudad. Se veía a católicos rezar al lado de sus hermanos musulmanes. En la iglesia de San Gregorio, los amerindios fumaban tranquilamente la pipa de la paz y la ofrecían a su vez a los representantes de la Iglesia americana. La atmósfera era de recogimiento, pero todos esperaban con impaciencia la gran oración de clausura que tendría lugar muy pronto en la parte inferior de la plaza de San Francisco. La ciudad testimoniaba su orgullo de estar, por un día, en el centro de la razón del hombre. Oleadas de militantes de la paz irrigaban las callejuelas tortuosas de la ciudad vieja. Uno creía estar sobre el Ganges. El mundo se purificaba. Las madres traían a sus hijos en los brazos. Por nada del mundo habrían faltado a la apoteosis.

El sol se ponía sobre la planicie de Umbría. Los montes Apeninos pronto desaparecerían. Los representantes de las diferentes religiones escuchaban la intervención del Papa. Por la mañana se había dirigido a la Humanidad cuando dijo: "La reunión de hoy es una invitación al mundo para que tome conciencia de una dimensión distinta de la paz y de una manera distinta de promoverla. Estas dos formas resultan de la oración."

En cambio, a los hermanos que había reunido les daba otro mensaje: "Como jefes religiosos, no habéis venido aquí para escuchar una Conferencia de las religiones sobre la paz, donde el acento estaría puesto en la discusión o la búsqueda de planes de acción a escala mundial en favor de una causa común."

Así, el Papa rechazaba de antemano la idea de la creación de una "Organización de las religiones unidas." Juan Pablo II respetaba el carácter de identidad y de independencia de cada creencia. "Tampoco significa que las religiones puedan reconciliarse sobre la base de un compromiso común en un proyecto terrestre que las rebasaría a todas. Tampoco se trata de una concesión al relativismo de las creencias religiosas, pues todo hombre debe seguir con honestidad su conciencia con la intención de buscar la verdad y obedecerla. Nuestro encuentro testifica simplemente el gran significado que tienen en la inmensa batalla por la paz..."

La noche caía sobre Asís. Después de que cada familia religiosa rogó para que la estancia del hombre mejorara en este mundo, Juan Pablo II se dirigió por última vez a esta asamblea de sabios. Con voz mesurada, anunció que en ese día 27 de octubre de 1986, ninguna arma había matado. Mirando el cielo cubierto de estrellas, cada uno se preguntaba: ¿Cuántos días sin gritos de madres desposeídas de sus hijos, sin vidas segadas brutalmente había tenido el siglo XX? ■

80

Bendito o que vem em nome do Senhor!

▲ Juan Pablo II en Benín en 1993.

81

▼ Juan Pablo II en Sudáfrica en 1995.

El mismo Cristo es africano

El día nacía en Ruhigi. Ese pueblo de Rwanda parecía protegido por los verdes valles de África del Este. Empero, un camión acababa de pararse, de él salieron hombres armados, venían con machete en mano. Cuando se fueron, la tierra estaba roja de la inocencia de aquellos que acababan de ser asesinados. Sólo un pequeño de nueve años había logrado escapar. Deslizándose fuera de su choza, se había refugiado en un hoyo pestilente. Se llamaba Mutolo Torimana. Moisés era su nombre cristiano. Tutsi o Hutu, poco importaba, a partir de ese día era huérfano. Se sumaba a la gran lista de víctimas de las masacres comunes de Rwanda.

Cuando Juan Pablo II desembarcó en Kigali, el 7 de septiembre de 1990, con el fin de iniciar su séptima visita a África, tenía un total conocimiento del genocidio que azotaba a Rwanda. Siempre había prestado una atención especial a los dramas que agobiaban a los pueblos de ese continente. Desde las arenas de Marruecos a los *townships* de Sudáfrica, el Obispo de Roma se preocupaba por los problemas de esa África que parecía ir a la deriva, víctima del hambre, del sida, de la apropiación de los recursos naturales, de la confiscación del saber, de las violencias sexuales, de las dictaduras y la corrupción. Cual misionero infatigable, quería salvar las almas y pensaba lograrlo. Sobre ese continente, más que nunca, sería *el hijo de Dios y el hijo del hombre.*

En 1980, en Zaire, había subrayado: "Cristo mismo es africano." Naturalmente, al igual que el apóstol Pablo, el Papa quería evangelizar esas poblaciones que en ocasiones se inclinaban hacia otras creencias: "¡No tengáis miedo! Cristo no es un raptor, sino un salvador. Él vino para que tengáis la vida." Trece años más tarde, en Kampala, Uganda, insistía: "Pueda la palabra de Dios ser la lámpara de vuestros pasos y la luz de vuestro camino."

Photographies Gamma

Más allá de una voluntad religiosa absolutamente comprensible, le interesaba corregir el desequilibrio que había provocado la repartición del mundo de la posguerra. En el continente africano, ese Papa predicador se volvía un Papa militante en pro de una más justa redistribución de las riquezas, de las cuales, la primera seguía siendo la libertad.

En 1980 en Goréa, en Senegal, sobre el pontón de donde partieron los esclavos que poblaron América, Juan Pablo II hizo una de sus más bellas intervenciones en favor de la libertad: "Hombres, mujeres y niños negros fueron arrancados de su suelo, separados de sus parientes, para ser vendidos como mercancías. Tomaron parte en ese vergonzoso comercio individuos que habían sido bautizados, pero que se habían alejado de su fe. ¿Cómo olvidar las vidas humanas, aniquiladas por la esclavitud, por el menosprecio de los derechos humanos más elementales? Es menester que se confiese en toda su verdad y humildad ese pecado del hombre contra el hombre, ese pecado del hombre contra Dios." Juan Pablo II condenaba sin reserva a aquel que sacrificaba al otro por el dinero. No sólo hacía referencia a una época histórica pasada, sino que se dirigía igualmente a aquellos que, en nuestros días, siguen confiscando las llaves de la potencia económica. Con frecuencia se ha ignorado el papel del Papa en favor del diálogo Norte-Sur, que ha sido una de las marcas de su pontificado. Ha ido incluso hasta la tribuna de la O.N.U. para reclamar una mejor justicia social e insistir en la urgencia de su puesta en marcha.

En esas tierras africanas insistió en que no se imiten a las sociedades entregadas al individualismo y al materialismo. Llamó a cada uno a responsabilizarse de sí mismo y movilizó las energías: "Estoy convencido de que en el momento en que se permita que África tome en sus manos sus asuntos, sorprenderá al mundo por sus progresos, pero también será capaz de compartir su propia sabiduría." Evocó también el respeto de la persona humana: "Que la solidaridad reemplace al egoísmo."

No obstante, en un continente donde uno de cada cuatro africanos es católico, Juan Pablo II consideró el desarrollo del individuo dentro del respeto de los valores familiares. De Tanzania a Nigeria, del Gabón a Guinea Ecuatorial, de Kenia al Togo o de Camerún a Zaire, las palabras del Santo Padre resonaban sobre ese tema.

Si bien Juan Pablo II deseaba despertar las conciencias respecto de lo económico, también quería predicar un modelo de vida conforme a sus pensamientos. Así, en 1982, en Benín, el Papa se atrevió a hablar del Amor: "Los gestos son como las palabras, revelan lo que somos. Los actos sexuales son como las palabras, revelan nuestros corazones." Muchos años después, el Papa precisaría: "El lenguaje sexual exige un compromiso a la fidelidad que dura toda la vida." Más allá de la prudencia, el Vicario de Jesucristo confrontaba las costumbres de la poligamia con el Evangelio. No estaba de acuerdo con ninguna adaptación del mensaje evangélico, como lo proponía una parte de la Iglesia africana, temerosa de ver que los fieles se inclinaban hacia religiones con mayor libertad de costumbres. A pesar del incremento del islam y del nacimiento de las sectas, el Papa no se alejaría de la palabra de Cristo. Para él es la única vía que salvará a esos hombres, a esas mujeres y a esos niños de África, con quienes compartía íntimamente los sufrimientos.

En Nigeria dijo estas magníficas palabras: "Al niño dotado de dignidad humana y de los derechos inalienables, al *bambino* que refleja el amor de Dios en sus ojos y lo expresa en su sonrisa, a él es a quien dejo mi mensaje de fraternidad, de amistad, de amor." En cada viaje, aprovecharía la oportunidad para insistir en la condición de esos seres, a quienes en ciertos países, la prensa aludiría con el término de "víctimas". Ya se trate del niño mártir de las atrocidades étnicas de Rwanda, o del niño raquítico de las tierras de Etiopía o bien, del hijo consumido del Sahel, o quizás del futuro campeón de las altas planicies, a quien el rigor islámico aleja de la gimnasia, la

Historia reconocerá a Juan Pablo II por ser efectivamente uno de los pocos en preocuparse de la suerte de todos ellos, en ser: "La voz de los que ya no tienen voz." En esta misma tónica, el Papa hizo una visita histórica de algunas horas al rey Hassan II, soberano de Marruecos. En 1985, en ocasión de los Juegos panárabes en Casablanca, Hassan II deseaba que el Obispo de Roma dialogara con los representantes de veintitrés naciones árabes que participaban en esa reunión. Así como había sucedido tres años antes en Kaduna, en Nigeria, en la región de Lagos, los jefes religiosos musulmanes se negaron a cualquier encuentro con el Papa.

Sin embargo, cincuenta mil jóvenes marroquíes le reservaron una ovación excepcional cuando entró al estadio de Casablanca y aún más, cuando empezó a hablarles: "El diálogo entre cristianos y musulmanes es actualmente más necesario que nunca." Y respetuoso como siempre de las diferencias religiosas de cada uno, el Santo Padre llamó a reunirse en la oración de los hombres de espíritu para aliviar al planeta de sus males. Pero más allá de los simples votos ecuménicos, a Juan Pablo II le preocupaba el aumento del

84

fundamentalismo islámico, que en su certera opinión, podía inflamar al mundo. Así, a esos jóvenes les confió su inquietud: "Deseamos que todos accedan a la plenitud de la Verdad Divina, pero eso sólo se logrará mediante la adhesión libre de las conciencias, lejos de las restricciones externas." Los jóvenes marroquíes se levantaron espontáneamente y aplaudieron largo rato ese llamado a la preservación de un islam moderado.

Los acontecimientos vividos dolorosamente por el pueblo egipcio y particularmente, por el pueblo argelino, desde principio de los años 1990, demostraron que el temor del Papa Juan Pablo II, por desgracia, estaba fundado. Así, mientras la comunidad de las naciones estimaba que "era urgente esperar", el Obispo de Roma buscaba soluciones concretas. En el momento en que podía, incitaba a los grandes industriales a invertir en esos países, con el fin de proporcionar un bienestar real a las poblaciones y un sostén a los gobiernos musulmanes moderados y con ello evitar

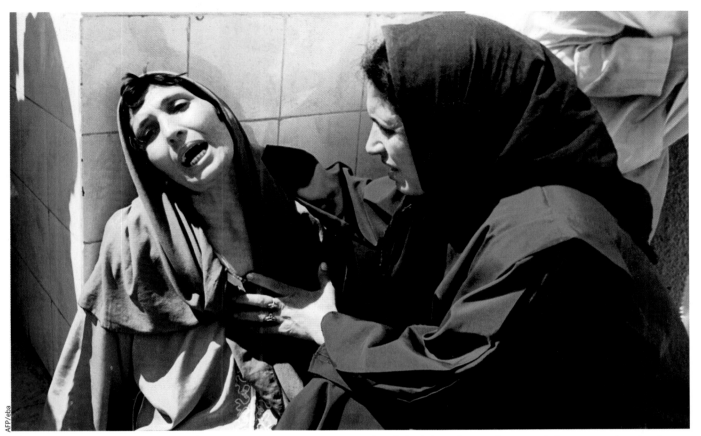

▲ Esta mujer acaba de perder a sus ocho hijos. Cual "Madona argelina", es el símbolo de los ochenta mil muertos de la guerra civil en Argelia.

que el extremismo prosperara. Ese era el precio del futuro del tercer milenio, pues el Papa sabía que el fundamentalismo se alimentaba de la miseria y de la desesperanza de los desprotegidos. Muy pocos lo escucharon. No se emprendió ninguna acción económica de importancia en favor de esos países. Con un ojo en el Dow Jones y otro en la cartera, el mundo estaba muy poco preocupado por la suerte de los que la muerte azotaba cotidianamente. A principios de 1998, nos lamentamos por haber prestado poca atención, cuando los medios de difusión revelaron el horror que se había vivido en la región argelina de Relizane. En pleno periodo del ramadán, un centenar de bárbaros, encubiertos bajo una supuesta impunidad religiosa o militar, masacraron con hachas a 412 habitantes de la ciudad. Para ganar tiempo y así cumplir con el voto hecho de degollar y decapitar a más víctimas, esos enfermos estrellaron la cabeza de los bebés contra las paredes. ¿Qué hombre puede cometer tal infamia? ¿En nombre de qué religión o de qué ideología se puede clavar a un bebé en una puerta? ¡Maldito sea el que perpetra esos actos! ¡Responda frente a Dios aquel que los ordena! Sea juzgado el que los consiente. Puedan un día los sobrevivientes de esta tragedia perdonarnos.

Frente a la inercia de las naciones, el 10 de enero de 1998, Juan Pablo II abogó frente a 166 embajadores para que sus países por fin actuaran. En esa ocasión, el Papa precisó: "Me interesa señalar claramente que nadie puede matar en nombre de Dios." Concluyó con las violencias que victiman a la población, en África y en Medio Oriente.

Sobre esas tierras desgarradas por el odio, que sirva de ejemplo ese padre palestino cuyo hijo acababa de morir. Llegó llorando hasta un hospital israelí y legó el cuerpo de su hijo único. Les dijo a los médicos: "Que la muerte de mi hijo salve a un niño; árabe o judío, poco importa, pero que salve una vida." ■

Photographies Gamma

En el país del dulce amanecer

Ese 6 de mayo de 1984, el Papa se presentaba ante una enorme multitud. De pie, con las manos juntas y los ojos cerrados, el pueblo de Seúl escuchaba el himno nacional de Corea del Sur. Un clamor inmenso acompañaba las últimas estrofas: "Mientras el mar no sea secado, mientras el monte *Paek Tu* no sea derribado, Dios guardará nuestro país, nuestros ríos y nuestras hermosas montañas." Entre los millones de personas reunidas en la *plaza Yoe-do*, Yung Kim rezaba con especial fervor. Al igual que los demás, él quería ver al Papa y presenciar la canonización de ciento tres mártires coreanos, muertos en el siglo XVIII, por haber proclamado la fe.

En Corea, Juan Pablo II continuaba los actos de beatificación que había emprendido desde el inicio de su pontificado. En el "país del dulce amanecer", quería rendir un homenaje particular a los desdichados, provenientes de los medios más humildes. Para él era una manera de dar al común de los mortales un modelo a su alcance. El Papa deseaba igualmente recordar a los vecinos de esos mártires quienes, recibiendo a sus hijos, habían dado un ejemplo de caridad cristiana.

"Kohwang Manze!", como si se tratara de un concierto de rock, los adolescentes, a punto de perder el sentido, deseaban: "¡Diez mil años de vida al Papa!" Las jóvenes con trajes folklóricos, agitaban frenéticamente las banderas amarillas con el símbolo del Vaticano y las banderas rojas y azules de Corea, mismas que las autoridades les habían dado horas antes.

A 20 mil kilómetros de Roma, como en todos lados, Jesucristo estaba presente. De pie frente a una cruz que parecía más alta que la Torre Eiffel, el Papa tenía un aire frágil. En su sotana dorada, parecía una flama que venía para iluminar las conciencias: "La apertura a los otros excluye, en razón de su naturaleza propia, cualquier forma de egoísmo. Esta apertura se expresa en un diálogo honesto." Criticó vivamente los modelos industriales donde las exigencias de Wall Street imponen nuevos vasallajes a los países asiáticos. Denunció con energía las taras de la mundialización de la economía que imponen la explotación al más débil: "Yo rezo para que la experiencia que habéis acumulado os dé la convicción de que sólo la afirmación concreta y el compromiso en favor de los derechos y los valores humanos, traerán una respuesta duradera a las aspiraciones que están en el corazón de todos los pueblos del mundo." El Santo Padre no tenía la intención de hablar sólo del sacrificio de los cristianos en Asia, ni de la dramática división de Corea. Planteó el problema de los sacrificios del mundo moderno.

Destrozados por el engranaje subcontratista, millones de trabajadores asiáticos aceptaban menos de dieciocho dólares por semana para sobrevivir. En esa parte del mundo donde los hombres y los niños se rentan por hora, el Papa hacía un llamado al corazón, por no decir a la razón. Temía profundamente que la carrera del materialismo y el crecimiento desenfrenado exigieran a esos pueblos sacrificios aún más grandes. La crisis financiera asiática de principios de 1998, desgraciadamente le ha dado la razón.

En ese país donde el primer bautizo católico se remonta a 1748, el Papa expresó su admiración por la Iglesia coreana que "lleva para siempre las marcas de la sangre". Para Juan Pablo II, la sangre de los mártires era la semilla de los cristianos. Mientras un coro de mil quinientas voces acompañaba la comunión dada por mil padres, las cámaras de televisión inmortalizaron el rostro de un adolescente. Impasible y recogido, no traicionaba emoción alguna. Empero, su historia era tan dolorosa como la de sus ancestros. Ocho meses antes, la noche del 30 de agosto de 1983, un vecino lo había despertado para enterarlo del accidente del vuelo de Korean Airlines. A ello le siguió una larga noche de angustia en el aeropuerto de Seúl. Yung Kim había recibido la noticia de que sus padres no volverían más de un banal viaje en avión. El Boeing en el que venían se había desviado unos cien metros. Acusado de espionaje por las autoridades de una base militar soviética, un Mig 25 derribó en pleno vuelo la vida de doscientos cincuenta y nueve pasajeros.

Por ello, el joven Yung estaba profundamente conmovido cuando el Papa Juan Pablo II, al terminar la misa, llamó a la necesidad de la creación de otro mundo. "Cuando os esforzáis en crear un mundo mejor, deseáis guardaros contra toda contradicción en vuestra propia vida. Vuestras armas son la verdad, la justicia, la paz y la fe: estas son armas invencibles." ∎

▲ Los altares de las iglesias del mundo permanecieron iluminados mientras duraba la hospitalización de Juan Pablo II.

▲ En señal de protesta contra el atentado que acababa de sufrir Juan Pablo II, el 13 de mayo de 1981, los barrios populares de Roma permanecieron amurallados por el silencio.

El atentado del 13 de mayo de 1981

Cuando los teletipos resonaron, vino la consternación: "¡Le dispararon al Papa!" Las campanas de todas las catedrales empezaron a sonar. La noticia se difundía a velocidad fenomenal. Al enterarse, los fieles se precipitaban a la iglesia para prender un cirio. Creyentes y no creyentes estaban unidos por la misma emoción. Treinta y cinco años antes, los nazis querían acabar con él y a pesar de ello se hizo Papa. Para ahogar a una Polonia que se despertaba, el Bloque del Este intentó derribarlo. El 13 de mayo de 1981, para los que amaban la libertad, Juan Pablo II era más que un Papa. ¡Se había convertido en un mito!

Ese día, el Santo Padre estaba satisfecho. Había comido con el profesor Lejeune, quien le había expuesto un método de control de la natalidad satisfactorio para la Iglesia. Evaluando las ventajas que tendría en los países víctimas de la sobrepoblación, el Papa había olvidado los consejos de prudencia que la C.I.A. le daba desde hacía semanas. El 23 de abril, el director de la C.I.A., William Casey, había dicho expresamente que la situación era seria. El Papa estaba en peligro.

En efecto, desde hacía un año, el Kremlin se tambaleaba por los acontecimientos que sacudían a Polonia. Todo había empezado por una huelga de los ferrocarrileros de Lublín. A Edward Gierek, primer secretario, no le preocupó esa situación; las huelgas de 1956, de 1970 y 1976 habían sido reprimidas sin problema. El ministro de la Defensa, Wojciech Jaruzelski, juzgaba inoportuno intervenir pues el país no seguía ese movimiento aislado. Pero mientras que Juan Pablo II preparaba la Asunción en Castel Gandolfo, el 14 de agosto de 1980, un obrero escaló una grúa de la obra naval Lenine de Gdansk. Esa misma mañana, el director había notificado su cambio por desobediencia a un tal Lech Walesa. Fundador del sindicato libre *Solidaridad*, el obrero llamó a la rebelión y demandó la legalización de los sindicatos independientes. Frente al silencio de Gierek, Walesa endureció el tono. Exigió el fin de la censura y la liberación de los presos políticos. En Roma, el Papa seguía los acontecimientos por televisión. Cuando el 21 de agosto de 1981, toda Polonia se fue a la huelga, Juan Pablo II murmuraba sonriendo: "¡Por fin!". Las cámaras difundieron las imágenes de los obreros rezando. Los retratos del Papa y las imágenes de la Virgen Negra adornaban las puertas de reja de las fábricas. La mano de Dios castigaba al comunismo. Incluso circulaba un dibujo humorístico: en overol de trabajo y con los brazos cruzados, el Papa dejaba de trabajar. Cuando los obreros empezaron a expresar sus sufrimientos con cantos religiosos y patrióticos, el obizpo Majdanski declaró: "Está floreciendo la semilla sembrada por el Santo Padre." Empero, en ningún caso Moscú podía permitir que el trigo de la libertad floreciera.

Hay que decir que desde 1946, los dirigentes comunistas habían conocido a ese servidor de Dios. En efecto, cuando la práctica religiosa fue prohibida en los años cincuenta, Wojtyla organizó campamentos de vacaciones para los jóvenes. Ahí jugaba fútbol, caminaba en la montaña y hacía canotaje. No se trataba de catequizar, pero a veces, frente al fuego del campamento, las conversaciones abordaban el tema de la libertad y el porqué del hombre sobre la tierra... A los estudiantes, Karol Wojtyla les repetía: "La policía y las prisiones nada resuelven. Esos métodos no hacen sino aumentar el precio que un día deberá pagarse." Cuando el gobierno lanzaba un movimiento religioso destinado a oponerse a la Iglesia de Polonia, Wojtyla respondía con una procesión de la Virgen Negra, que visitaba hasta el mínimo rincón de la campiña polaca. En 1979, cuando el icono terminó su recorrido por el país, eran millones los que caminaban detrás de la imagen piadosa que volvía al santuario de Jasna Gora. Si Karol Wojtyla era ya una llaga para los comunistas polacos, al ser Papa, era una pesadilla para el Politburó.

Justamente, el 2 de abril de 1981, en Moscú, Brejnev tenía el ceño más contraído que nunca. Estaba fuera de sí por la rabia. Tres días antes, esos "cretinos polacos" tenían que haber llegado a un acuerdo con *Solidaridad* para poder evitar una segunda huelga general. Frente a sus camaradas se dejó llevar y dijo: "La efusión de sangre es inevitable. Tendrá lugar. Y si tenemos miedo de ello, bien podemos perder todos los logros del socialismo." En consecuencia, el ejército rojo se posicionó en las fronteras polacas. En Roma, el Papa tuvo un encuentro con el embajador soviético, quien prometió que su país no invadiría Polonia si las huelgas se terminaban. Juan Pablo II hizo un llamado a Polonia a consagrarse plenamente al trabajo, mientras que Jaruzelski obtenía la no intervención del ejército soviético a costa de la instauración de la ley marcial. A finales de abril, Jaruzelski tuvo que hablar con Monseñor Wyszynski para detener una nueva huelga. Para Moscú, Polonia "iba directo a estrellarse contra el muro". Brejnev descolgó el teléfono y llamó a Sofía.

▲ El Papa visita a Mehmet Alí Agca en su celda después de su condena a prisión perpetua.

Eran las cinco de la tarde, ese miércoles 13 de mayo de 1981, cuando el Santo Padre se propuso hacer el recorrido de la plaza de San Pedro a bordo de un jeep de color blanco. Su secretario Stanislas Dziwisz iba a su lado. El Papa gozaba de plena salud. Bendecía a la multitud, sostenía a las religiosas que desfallecían a su paso y abrazaba a los niños. En suma, hacía lo que le corresponde hacer cotidianamente a un "encantador de la fe" como él.

Entre la multitud, Mehmet Alí Agca también esperaba. Para él no se trataba del Papa, sino de un contrato. Cuando su blanco pasó lentamente a menos de seis metros de él, sacó su Browning 9 milímetros automática, detuvo la respiración y vació el cargador. Las palomas de la plaza de San Pedro emprendieron el vuelo al instante. Inmediatamente, Juan Pablo II se tambaleó bajo los impactos, estaba herido en el vientre y en el codo derecho. Mientras lo llevaban a la ambulancia más próxima, el asesino había sido cercado por la policía y los fieles. Alí Agca no había intentado huir. Sonreía. Tenía que dejarse aprehender. Su misión estaba cumplida. Como un profesional, sólo habló para decir incoherencias con el fin de confundir las pistas.

En la clínica Gemelli el cirujano ardía de impaciencia. ¡El Papa sufría una hemorragia y aún así se confesaba! Después se le pudo operar. Le quitaron veintidós centímetros de intestino y el anestesista le rompió incluso un diente por accidente durante la intervención. A los 61 años, tomó algunos días de reposo y reinició la cruzada.

Sólo Juan Pablo II conoce la verdad: visitó a su agresor durante unos veinte minutos. Al final de la entrevista, Alí Agca, musulmán condenado a cadena perpetua, se arrodilló y besó su mano. Como cristiano, Juan Pablo II perdonó y rezó incluso con la madre del terrorista. Pero si bien no traicionará el secreto de confesión, tampoco olvidará. Con la ayuda de Dios y de Ronald Reagan, Moscú pagaría el atentado del 13 de mayo. ■

▲ Cuando hizo su primer viaje a los Estados Unidos, Juan Pablo II pudo apreciar la calidad de los grupos corales de Harlem.

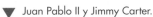

▼ Juan Pablo II y Jimmy Carter.

La conquista de Nueva York

A pesar de que lo habían prevenido, el Papa se sobresaltó cuando hizo su entrada en el Yankee Stadium, el 2 de octubre de 1979. Bajo los gritos y los aplausos, la estructura de concreto del templo de los Gigantes temblaba. De pie en un 4×4 blanco, con los brazos levantados, Juan Pablo II estaba muy contento. Incluso antes de haber jugado, la Iglesia de Roma acababa de marcar, en ese país, el *touchdown* más importante de su historia. Ese día, Juan Pablo II tenía la precisión de un Michael Jordan, el encanto de John Kennedy, la prestancia de George Washington y las palabras de Martin Luther King.

95

Algunas horas antes de su llegada a Nueva York, el Papa había salido al encuentro de la ciudad más difícil de conquistar del mundo. Frente a una multitud enorme que había salido del barrio negro de Harlem, del *ghetto* puertorriqueño del sur del Bronx y naturalmente de la *Little Italy* (Pequeña Italia), Juan Pablo II había hecho un *show* notable en ese país tan fuerte en las finanzas y tan débil en lo social. Sobre este tema habló el Papa y mantuvo en la expectativa, durante más de dos horas, a millones de hijos de inmigrados que deseaban ardientemente la América del reparto, de la redistribución de las riquezas y de la seguridad. Más de catorce mil periodistas tomaron nota de sus palabras: "Toda la humanidad debe meditar sobre la parábola del hombre rico y del mendigo. La humanidad deberá traducirla en términos de economía y de derechos humanos, en términos de relación entre el primero, el segundo y el tercer mundo." Una ovación jamás conocida en la 5a. Avenida le respondió. Por los aplausos, era evidente que la actuación del Papa superaba, con mucho, el desfile del equipo del Apolo 11, que sin embargo estaba más alto que él en el cielo para conquistar la Luna.

Resguardado bajo una gigantesca bandera estadounidense que ondeaba al viento, Juan Pablo II subyugó a la ciudad y aún más: "No podemos permanecer pasivos cuando millones de seres humanos mueren de hambre." No pudo continuar debido al clamor tan grande. En la avenida más cara del mundo, en el antro de la industria del lujo, en el corazón mismo del símbolo del poder del dinero, un polaco católico hacía un llamado a la generosidad. Desde los *homeless* de Madison, hasta los *yuppies* de Wall Street, todos presentían que se podía iniciar un diálogo social. A ojos de la *middle class* (clase media) estadounidense, orgullosa de las estrellas de su bandera, el Papa borraba la imagen prototípica de una América egoísta e insensible a las desgracias de los hombres. Esta opinión era igualmente válida en ese país, a pesar de que fuera el número uno del mundo en la reunión de fondos para obras de caridad. Pero, ¿quién sabía que la generosidad es una costumbre fuertemente anclada en la tradición estadounidense? Sólo la Universidad de Harvard recolecta anualmente millones de dólares, que permiten a los estudiantes extranjeros estudiar en Estados Unidos. Los estudiantes mismos organizan ese *fund rising*. Por ello, no es raro que aquel que recolecta más fondos sea más popular en el campus que "el equipo de fut" que gana el campeonato universitario.

En esa tierra de contrastes, el pueblo estadounidense no sólo era halagado. Por sus reacciones de entusiasmo frente a las palabras del Santo Padre, mandaba un mensaje claro al Congreso y a la Casa Blanca: "Queremos un sistema social digno del poderío de nuestro país." Quería erradicar la violencia urbana y las drogas, consecuencias de la miseria y la desesperanza que azotan a las metrópolis del país. Invitando a cada uno a la mesa de la dignidad, el Vicario de Jesucristo concluía su conquista del Oeste. Pero como lo dijo el *New York Times* en sus páginas, el Papa no sólo fascinó a cincuenta y cuatro millones de estadounidenses católicos, sino a la nación entera. Ese día pues, se inició una historia de amor político entre Juan Pablo II y los Estados Unidos, misma que en menos de diez años cambiaría el destino del mundo.

Al día siguiente, Juan Pablo II subía a la tribuna de la O.N.U. Y así como sucedió con el Papa Pablo VI catorce años antes, los delegados se levantaron cortésmente para recibir al Obispo de Roma. De entrada, Juan Pablo II los sorprendió cuando inició sus palabras con una disculpa: "Quiero disculparme por hablar de cosas que para ustedes, Señoras y Señores, son ciertamente evidentes. No me parece inútil, aun así, hablar de ellas, pues lo que muy a menudo amenaza las actividades humanas, es la eventualidad de que al realizarlas se puedan perder de vista las verdades más evidentes, los principios más elementales."

96

Gamma

▲ Juan Pablo II en la tribuna de la O.N.U., el 2 de octubre de 1979.

Los asientos de los delegados de los países africanos dejaron oír los primeros aplausos. Los diplomáticos esperaban a la *"superstar"* de los medios de comunicación, tenían frente a ellos a un hombre que se expresaba con humildad. Casi parecía tímido. Su discurso era reconocible: "Permitidme desear que la Organización de las Naciones Unidas, en razón de su carácter universal, no deje nunca de ser el foro, la tribuna más alta donde se evalúen, con la verdad y la justicia, todos los problemas del hombre." Mientras que los traductores terminaban de transcribir estas últimas palabras, Juan Pablo II abordaba los temas que han marcado su pontificado: los derechos del hombre y el respeto a la vida. Se manifestaba "contra toda forma de opresión o de tortura física o moral practicada en cualquier sistema político y en cualquier lugar". Una parte de los asistentes aplaudió, la otra se abstuvo. Habló de sus inquietudes respecto al futuro y enunció los orígenes de los conflictos que minan el planeta. Insistió en el equilibrio que el hombre debe encontrar entre la vida material y la espiritual: "El hombre vive, al mismo tiempo, en el mundo de los valores materiales y en el de los valores espirituales." El Papa hacía un llamado a aquellos que acumulan riquezas para que las compartieran con aquellos que carecen de lo esencial.

Del primer viaje a América de Juan Pablo II, algunos recordarían su popularidad o su discurso sobre las costumbres. Otros se decepcionarían por su intervención en las Naciones Unidas. Pero pocos percibieron su análisis esencial, válido para todas las sociedades: "Mientras que el hombre conozca la miseria, nadie conocerá la paz." El Papa no sólo evocaba los conflictos entre los Estados o las guerras civiles, sino que daba a la miseria una definición simple: soledad, falta de formación, problemas de fin de mes, falta de integración, desempleo... De esta forma hacía pensar en la miseria cotidiana que, al ser tan punzante en los países industrializados, asuela a los hombres en estos años finiseculares. Muchos lugares de las afueras de las ciudades se han convertido en zonas de injusticia, en las que la delincuencia resulta del aburrimiento y la violencia viene con la irritación. ■

▲ Juan Pablo II y Ronald Reagan.

La alianza contra el diablo

En opinión de algunos comentaristas, Juan Pablo II y Ronald Reagan deberían ser opuestos. El primero ha sido un intelectual brillante, mientras que el segundo enloquecía con los juegos televisados. El Vaticano reportaba que, para distraerse, el Vicario de Jesucristo meditaba durante largas horas. Washington dejaba oír rumores atractivos: "El Presidente pasa horas educando a un perro que se niega obstinadamente a darle la pata. En cambio, Reagan logró darle la mano." El Papa predicaba los valores espirituales, mientras que el antiguo gobernador de California se entusiasmaba con el liberalismo. Pero en realidad, Ronald Reagan y Juan Pablo II tenían muchos puntos en común. Tanto uno como otro habían sido actores y a ambos les gustaba el deporte. Conocían el poder que las palabras tienen en las multitudes y ambos compartían un rechazo idéntico por el comunismo. Se encontraron, se aliaron, cambiaron el fin del siglo y escribieron el inicio de la historia del III milenio.

Mucho antes de la investidura suprema de Ronald Reagan, Juan Pablo II ya había anudado los lazos estratégicos importantes con la Casa Blanca. En efecto, en 1976, se había hecho amigo de Zbigniew Brzezinski, antiguo profesor de Harvard de origen polaco, quien se convirtió en consejero de la Seguridad Nacional al lado de Jimmy Carter.

Al final de los años 80, los servicios de información estadounidenses tenían la certeza de una invasión inminente de las tropas soviéticas a Polonia. El asunto era delicado, Jimmy Carter le encargó a Brzezinski que le informara al Vaticano. El consejero descolgó entonces su teléfono, marcó el 00 39 66 982, se anunció en el conmutador del Vaticano y con toda naturalidad pidió hablar con el Papa. Después de algunos minutos de espera y de oír unas diez veces *Monsignore*, Brzezinski le expuso a Juan Pablo II, en polaco, la posición del gobierno estadounidense respecto de *Solidaridad*. El consejero precisó que el movimiento de Walesa recibiría ayuda material de los sindicatos estadounidenses. Además le reveló al Santo Padre que Jimmy Carter había autorizado a la C.I.A. que infiltrara movimientos nacionalistas disidentes de los Estados Bálticos con el fin de fragilizar a Moscú. Por último, describió minuciosamente los movimientos de las tropas soviéticas dirigidas hacia la frontera polaca. Juan Pablo II le dio las gracias a su interlocutor y le suplicó que lo llamara cuando lo considerara necesario. Brzezinski le dijo entonces al Santo Padre que para hablar con él se había comunicado al conmutador del Vaticano. Para su sorpresa, el estadounidense escuchó que el Papa, inocentemente, le preguntaba a su secretario si disponía de una línea personal. Después de algunos segundos, Brzezinski tenía en su poder el número que le permitía llegar directamente al Obispo de Roma.

Algunas horas más tarde, Brzezinski marcó el número de teléfono del Santo Padre. La oficina Oval acababa de transmitirle fotos por satélite. En ellas, a pocos metros de Polonia, se distinguían claramente militares soviéticos levantando

Gamma

tiendas de campaña y erigiendo hospitales de campo. En ese expediente venía anexado el reporte de un oficial superior polaco reclutado por la C.I.A. dos años antes. Washington era el poseedor, a partir de ahí, de las órdenes formales que Moscú transmitía a las fuerzas del Pacto de Varsovia. La guerra estaba próxima.

Los dos hombres se pusieron de acuerdo en una estrategia inmediata. El Papa aceptó que los obispos de los países europeos con una población católica fuerte, actuaran ante sus gobiernos para amenazar de embargo a la Unión Soviética en caso de invasión. Al mismo tiempo, el presidente Carter le envió un mensaje a Brejnev invitándolo a reflexionar sobre las consecuencias de una intervención militar. Respecto a Ronald Reagan, Carter simplemente descolgó su teléfono y le recordó a su futuro homólogo que en menos de dos semanas lo relevaría en el cargo y que, contando con su investidura, "en caso de una intervención a Polonia, la URSS no tendría tiempo para bromear". Y dicho esto, colgó.

El 20 de abril de 1981, Ronald Reagan prestó juramento y se convirtió en el cuadragésimo presidente de la historia de los Estados Unidos de América. Se encerró por primera vez en el salón Oval y exigió que de inmediato se le informara sobre los acontecimientos de Polonia. Además, en lugar de exigir que todos los miembros de la administración precedente dejaran libres sus lugares, como lo confirman los anales del *spoil system*, Reagan hizo algo excepcional: confirmó a Zbigniew Brzezinski en la Casa Blanca en calidad de consejero de los asuntos polacos. Así, cada mañana, William Casey, jefe de la C.I.A., y Richard Allen, consejero de la Seguridad Nacional, le exponía al *staff* presidencial las modalidades del apoyo estadounidense a *Solidaridad*.

Así, mientras que a finales de este siglo la C.I.A. festejará su quincuagésimo aniversario bajo las pullas de sus detractores, quienes le reprochan haberse enterado de la caída del muro de Berlín leyendo el periódico, la Historia rendirá homenaje a los servicios estadounidenses por el excepcional trabajo efectuado en Polonia. Envío en piezas desprendidas de rotativos destinados a la impresión de periódicos clandestinos, expedición de millones de dólares, bajo las formas más astutas, repatriación de agentes amenazados, infiltración en la policía polaca y en las fuerzas del Pacto de Varsovia; en fin, todos los ingredientes estaban reunidos para la novela de espionaje del siglo. El mundo más bien se habría sorprendido si mujeres y hombres de ambos lados no hubieran muerto en ese despiadado combate a la sombra. Pero sin duda era el precio que había que pagar para que el bloque comunista del Este desapareciera, por voluntad de Dios y de Ronald Reagan.

Reagan provenía de un medio obrero, su padre era un irlandés católico y su madre protestante. Para llegar a la cima, sólo contaba con el éxito personal y con el apoyo incondicional de su esposa Nancy. En la vida sólo creía en las virtudes del valor, la iniciativa personal y en el poderío de

su país. Por ello, ante sus ojos, el comunismo representaba el adversario a vencer.

Desde el reparto del mundo en Yalta, en 1945, la Unión de Repúblicas Socialistas Soviéticas impugnaba la supremacía estadounidense. Los dos grandes rivalizaban en el arte de la desestabilización de las zonas de influencia respectivas a cada uno. Los soviéticos armaban a los movimientos de liberación de América del Sur, mientras que los estadounidenses financiaban cualquier intento de emancipación de Moscú. Los estadounidenses vivían en carne propia la afrenta cubana como si se tratara de un tumor maligno, mientras que los soviéticos consideraban a Berlín Occidental como una excrecencia vergonzosa en el seno de su imperio.

Más que una cuestión de supremacía, misma que se habría podido nivelar en una convención bipartita, la lucha contra el comunismo era ante todo una cuestión de ética para los estadounidenses, esencialmente enamorados de la libertad. Para que la democracia perviviera a principios de siglo, los hijos del Wyoming habían caído en las trincheras de Verdún durante la Primera Guerra Mundial. Veinticinco años después, para que el hombre no fuera dominado, sus primos de Dakota, de Ohio o de Wisconsin regresaron para ofrecerse en sacrificio sobre las playas de Normandía. Estados Unidos tenía conciencia de su poderío, pero nunca había fallado cuando el Hombre estaba en peligro. Precisamente, con base en esta noción de libertad fundamental, el Presidente Reagan y Juan Pablo II se pusieron de acuerdo ese año de 1981.

Pero, durante casi diez años, hasta la caída del muro de Berlín en noviembre de 1989, la legitimidad de la asociación entre esos dos hombres fue menoscabada por lo que parecía ser simplemente una cruzada visceralmente anticomunista. Ese sentimiento estaba muy generalizado en una Europa recientemente liberada de las dictaduras, instaladas ahí desde hacía muchos años. En Portugal, el 1º de mayo de 1974, "la revolución de los claveles" conducida por el general Antonio de Spinola, permitía el regreso a la democracia. Luego, en julio, Grecia se movía también en el campo de la libertad al poner fin al régimen sanguinario de los coroneles. En España, había fallecido el General Franco. Su sucesor designado, el rey Juan Carlos I conducía al país por la vía de la libertad.

Pero, afectada por los impactos petroleros de 1973 y 1979, Europa supo que también era vulnerable. Después de treinta años de crecimiento ininterrumpido, descubriría con estupor el sentido de las palabras "austeridad" y "desempleo". Los pueblos europeos aspiraban a un cambio de las élites. Nuevos rostros aparecieron. El socialista Papandhréou y la actriz Melina Mercouri en Grecia, el comunista Álvaro Cunhal y el socialista Mario Soares en Portugal, Felipe González en España o François Mitterrand en Francia, todos ellos fueron voluntades de alternativas políticas que se expresaron en Europa. Se descubriría a los líderes socialistas y comunistas "con rostro humano". Se esperaba que la sonrisa de un Berlinger en Italia desvaneciera la angustia del mañana. Europa Occidental comerciaba con el Este. Francia había perdido sus colonias, necesitaba nuevos territorios. Por esas razones, la guerra de Reagan y del Papa contra el comunismo se percibía como un combate de "retaguardia".

Por supuesto, la Europa progresista había leído *El Pabellón de los cancerosos* y *Archipiélago Gulag*. Estaba conmovida por la suerte del escritor Alejandro Soljenitsyn, incluso se había manifestado en favor del físico Andrei Sakharov, internado en Gorki en enero de 1980. Empero, se rehusaba obstinadamente a dar crédito a los testimonios sobre la vida en los países del Este. Para esas gentes a quienes el capitalismo había condenado, era insoportable pensar que la única vía que podían tomar condujera a un fracaso aún más difícil de superar. Sensibles a las opiniones públicas, los dirigentes occidentales quisieron pues mostrar su independencia en relación con Washington.

Ronald Reagan y Juan Pablo II estaban solos frente al bloque comunista. Tenían el presentimiento de que *Solidaridad* era el talón de Aquiles de ese "coloso de pies de barro". Uno y otro pensaban que si Moscú no lograba ahogar la rebelión polaca, ésta sería la onda de choque que derrumbaría el muro de Berlín y a los regímenes que se protegían detrás de él. El Pentágono y la C.I.A. entraron en el periodo decisivo. Desde el desembarco de Normandía en 1944, los estadounidenses no habían librado una batalla psicológica igual. Además de los apoyos logísticos y financieros, *Voice of America* y *Radio Free Europe* derramaban su información ininterrumpidamente en Hungría, en Polonia, en Alemania del Este y en Checoslovaquia. Los servicios secretos estadounidenses manipulaban el odio de los polacos a los soviéticos y la enemistad profunda entre los alemanes y los rusos. Varios planos de insurrección popular se prepararon. Los organismos financieros internacionales habían sido advertidos: "No más créditos a Polonia." Estados Unidos se preparaba para suprimirle el plan de ayuda a la agricultura. La URSS, aniquilada en sus finanzas, no habría podido sostener Varsovia. En la primavera de 1981, el desmantelamiento del imperio soviético estaba listo.

Pero para lograrlo era necesario algo más que la presión de los obispos de los países católicos de Europa. La ayuda de la comunidad europea era indispensable, incluso si la administración estadounidense dudaba que, en especial, Francia aceptaría cualquier orden terminante proveniente del Tío Sam. Para "matar al comunismo", Washington tenía que invertir las relaciones de fuerza en el dominio de las armas nucleares, que hasta entonces habían sido un dominio muy favorable para los soviéticos. Era igualmente necesario acabar con la imagen del socialismo ante los progresistas europeos. El "golpe de Estado" de Jaruzelski en diciembre de 1982, el asesinato del padre Popielusko en octubre de 1984 y la sorprendente autocrítica de Mikhail Gorbachov en el momento de su llegada al poder en 1985, todo ello, denunciaba plenamente las taras de una sociedad estancada desde hacía cincuenta años, lo que despertaba las sospechas de los socialistas europeos convencidos.

El increíble desastre ecológico del mar de Aral y la catástrofe de Chernobil, en 1986, terminaron por convencer los dogmatismos más reacios. Los partidarios de ayer incluso se volvían opositores feroces del sistema soviético, cuando se dieron a conocer las imágenes de desolación del gran lago salado de Uzbekistán y se conocieron los medios ridículos para detener las fugas radiactivas de la central nuclear en llamas.

Por último, la Casa Blanca tenía que convencer al Papa de ser algo más que el hijo del hombre y de ocuparse por esa vez de los asuntos temporales del mundo. Pero, a pesar de la necesidad de la lucha contra ese régimen que despreciaba sus valores, el Vicario de Jesucristo se mostraba extremadamente reticente a tomar esa vía. Fue entonces cuando apareció en la historia de este siglo Monseñor Krol.

Jan Krol era de origen polaco. Su padre había nacido en un poblado próximo a Wadowice. Era cardenal de Filadelfia y tenía una rara personalidad. Gran aficionado a fumar puro, estaba dotado de un sentido del humor poco común y de un *swing* de golf muy respetable. Para halagar a sus amigos, entre ellos a Ronald Reagan, no desaprovechaba nunca la ocasión para mostrar que sabía armonizar el conjunto de sus cualidades.

Así, una tarde mientras jugaba en uno de los clubs más exclusivos de Washington, provocó la hilaridad general al grado de que el juego se interrumpió definitivamente. Se encontraba en el inicio de la reproducción del hoyo número 13 del recorrido de Augusta, llamado "Amén corner." Lo que le caía de perlas a Monseñor. La bandera estaba plantada a 190 yardas sobre la derecha del *green* que a pocos centímetros se nivelaba con el agua de un pequeño estanque. Con el puro en la boca, Monseñor Krol empuñó su fierro 5 y golpeó la pelota tan fuerte como pudo.

La pelota voló por los aires, hizo una pequeña curva de derecha a izquierda y volvió a caer a pocos centímetros de la bandera, acompañada de los comentarios de admiración presidenciales. La jugada era casi perfecta. Empero, sobre los *greens* ultrarrápidos del lado este, su pelota se inmovilizó sólo una fracción de segundo y debido al fuerte declive, empezó a rodar. En el *ralenti*, tocó el hoyo y luego tomó velocidad y fue a caer en el agua. Nadie se atrevía a hablar. Dándole una fuerte fumada a su *Montecristo*, Monseñor Krol dijo con ironía: "¡Y después de eso me van a pedir que crea en Dios!"

Juan Pablo II apreciaba a este hombre diez años mayor que él. En los años sesenta, cuando se preparaban para ser cardenales, habían sido compañeros de estudio. Se cuenta incluso que varias veces les llamaron la atención en el comedor pues solían intercambiar bromas de un lado a otro de la mesa. Así, cuando Krol se volvió parte de la familia de la Casa Blanca, el diálogo con Juan Pablo II se hizo más fácil. Pero si Reagan contaba con la amistad de Krol y de Juan Pablo II, el Papa contaba con su amigo para modificar la política estadounidense en América del Sur. Durante las dos presidencias de Reagan, todos los temas de política internacional fueron discutidos conjuntamente entre el Vaticano y Washington. De ahí que si un tema inquietaba a la Casa Blanca, Juan Pablo II le hacía eco. Miles de notas y cientos de secretos fueron intercambiados entre el Vaticano y Washington durante los ocho años que duró la presidencia Reagan.

La influencia de Juan Pablo II era tal que cuatro días después del atentado que sufrió, el presidente Reagan declaró en la universidad de Nuestra Señora, en Indiana: "Nosotros alejaremos al comunismo como a un capítulo curioso y triste de la historia de la humanidad, cuyas últimas páginas se están escribiendo en este momento. El Papa Juan Pablo II es quien ha señalado los problemas de esas teorías económicas que justifican la injusticia apoyándose en la retórica de la lucha de clases, y en las cuales, en

nombre de una pretendida justicia, se ve destruir al vecino, matar, privar de la libertad o desposeer de los derechos más elementales." Si bien cuando Juan Pablo II viajó a Dublín en 1979, lo habían llamado "el virrey de Irlanda", su relación con Estados Unidos lo convirtió, indiscutiblemente, en "el rey de las Américas".

En un país donde el marketing a menudo hace milagros con los valores espirituales, el Papa fue elevado a *"star"* en la más pura tradición hollywoodense. Pintado sobre los muros, dibujado en las banquetas, era objeto de todas las reproducciones posibles e inimaginables. Eso no le molestó, por el contrario, utilizó su aura para abordar las causas justas. Así, cada vez que se encontraba con emisarios de Washington o cuando se entrevistaba con los que vivían en la Casa Blanca, no dejaba de interrogarlos sobre la situación de los pueblos en América del Sur.

En efecto, Juan Pablo II se había aliado con América para luchar contra "el diablo". Empero,

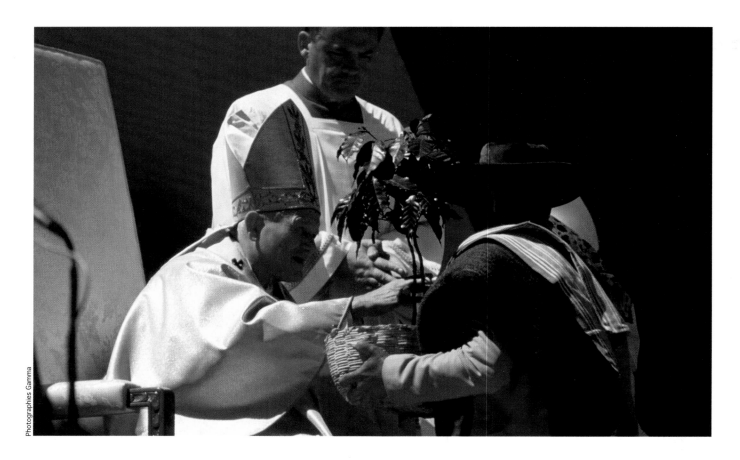

internamente sabía que el maligno no sólo reinaba en el Este. El Vicario de Jesucristo había viajado lo suficiente como para saber que en otros puntos del planeta había hombres y mujeres que sufrían las vejaciones que les infligían muchas dictaduras.

No todas sus intervenciones fueron bien entendidas. Se le acusó de apoyar regímenes militares extremos con el fin de evitar el contagio marxista. Cuando visitó El Salvador, en marzo de 1983, se le reprochó la débil evocación que hizo de la personalidad de Monseñor Romero, asesinado al pie del altar de su iglesia por la junta militar.

Se enjuició su pontificado cuando, en abril de 1987, visitó "el Chile de Pinochet". Pero, ¿realmente se habían escuchado sus palabras? ¿Se había hecho caso a sus llamados para que cesaran las guerras, se acabaran las injusticias, los sufrimientos y la muerte? Un día, en El Salvador exclamó: "Hombres y mujeres de cualquier tendencia e ideología, escuchadme. Recordad que

todo hombre es vuestro hermano y convertiros en defensores respetuosos de su dignidad. Se puede matar al hermano poco a poco, día a día, cuando se le priva del acceso a los bienes que Dios ha creado para beneficio de todos los hombres y no sólo para provecho de un pequeño número." Cinco años más tarde, en Santiago, dijo frente a Pinochet: "Vuestra dictadura, Señor, es provisional", estas palabras dejaron pasmado al general y fueron citadas en todos los medios de la prensa escrita.

No fue sino hasta su viaje a Cuba en 1988, cuando la prensa mundial reconoció por fin que Juan Pablo II se ha manifestado contra cualquier régimen dictatorial en América del Sur. Naturalmente, algunos lamentarán que Juan Pablo II haya preferido la vía de una transición pacífica, en lugar de apoyar movimientos que habrían liberado a los pueblos más pronto. Empero, sea cual fuere la opinión que se tenga sobre la línea de su actuación, nunca se le podrá reprochar el no haber sido un excelente embajador del ser humano. ∎

Photographies Gamma

▲ Desde 1959, los cubanos no tenían derecho de festejar religiosamente la Navidad.

▼ Fidel Castro en 1979.

Erwitt. Magnum

El milagro en La Habana

Cuando los diarios lo anunciaron, el mundo quedó estupefacto: "¡Ese día Cuba festejó Navidad!" Como preludio a la visita de Juan Pablo II en Cuba, por primera vez desde 1960, Fidel Castro permitió, tres semanas antes, la celebración religiosa del nacimiento de Cristo. Cuando se piensa en las ocho horas de discurso que Castro les impuso a todos, con motivo del homenaje que se le rindió al "Che", incluso los adversarios acérrimos del Papa tuvieron un pensamiento caritativo: "¡Con tal de que Fidel no tome la palabra, ni Juan Pablo II se merece eso!"

▲ En diciembre de 1997, los niños cubanos descubrieron por primera vez la tradición de los nacimientos de Navidad.

Al desembarcar en el aeropuerto José Martí, el 21 de enero de 1998 a las cuatro de la tarde, el Santo Padre temía más al calor que a las perífrasis del Líder máximo, a quien ya había visto en Roma, en noviembre de 1996. En la puerta del avión, hizo un pequeño signo a los miles de católicos cubanos que habían ido a esperarlo. Abajo de la pasarela, el Vicario de Jesucristo se inclinó tiernamente para abrazar a los niños de esta isla, la más aislada del mundo.

Entre la multitud, Oswaldo Serantes tenía un nudo en la garganta. Aunque era uno de los antiguos *barbudos*, esperaba ese momento desde hacía años. El 2 de diciembre de 1956, no bien tenía treinta años cuando desembarcó del *Gramma*, con el fin de aliviar a Cuba del régimen corrupto de Fulgencio Batista. Sobre la playa, había escapado de milagro a la emboscada de las tropas gubernamentales y se había hecho guerrillero en la Sierra Maestra. Junto con unos veinte sobrevivientes, había visto incluso a Fidel rezar.

▼ En enero de 1998, los cubanos descubrieron un nuevo ídolo.

Dos años más tarde, en 1959, eran miles los que llenos de esperanza entraban triunfantes a La Habana. Con sus propias manos habían cazado al tirano, quien había huido a los Estados Unidos la noche de Año Nuevo. Oswaldo se acordaba de la alegría de los campesinos cuando les fue distribuida la tierra que siempre habían soñado. Serantes había cantado junto con esos hombres libres cuando cortaban la caña. Empero, a pesar de la indemnización de las propiedades estadounidenses, la causa cubana se topó muy pronto con "el muro del dinero". Washington decretó una cuota drástica de importación al azúcar cubano, luego extendió esa medida a la exportación de bienes de equipamiento. Cuba estaba ahogada. Cuba iba a morir. Oswaldo Serantes rememoraba los debates acalorados que habían decidido la nacionalización de los intereses estadounidenses en La Habana. Recordaba la rabia de los compañeros y la incomprensión de los sacerdotes que apoyaban la revolución cuando Cuba, debido a la asfixia, tuvo que arrojarse a los brazos del hermano mayor soviético. Eso era el final de la revolución romántica. En ese instante, Oswaldo Serantes comprendió que jamás habría socialismo con rostro humano.

A pesar de todo luchó esa noche trágica de abril de 1961, cuando, en la Bahía de Cochinos, repelió el desembarco de tropas anticastristas, armadas por la C.I.A. Incluso había llegado a agradecerle a John Kennedy, católico como él, por haber negado el apoyo aéreo que esas tropas pedían, de no haberlo hecho, habrían ganado.

Oswaldo dudó cuando Jruschov quiso instalar misiles en Cuba. La colectivización de las tierras que vino después no le sorprendió, había comprendido que en lo sucesivo, su país no sería sino una colonia soviética. Pero cuando el aeródromo José Martí se convirtió en la escala favorita de los piratas aéreos y cuando su país se especializó en la formación de terroristas del mundo entero, Oswaldo dio la espalda a sus compañeros de lucha y en particular a su amigo Ernesto Guevara, a la sazón Ministro de la Industria.

C.I.R.I.P. A. Gesgon

▲ Ernesto Guevara, llamado el "Che" (1928-1967).

Guevara, médico a los 24 años, provenía de una familia burguesa de Rosario. Después de haber estado en diferentes países de América Latina, ese argentino se unió a las filas de Fidel Castro, a quien se encontró en México en 1955. Era un teórico de la revolución permanente, preconizaba el combate contra todos los imperialismos y la libertad de los pueblos para tomar sus propias decisiones.

Cuando Cuba se alineó totalmente con el modelo soviético en 1965, Ernesto Guevara abandonó la isla y participó en varias guerrillas en América Central. Una vez capturado, fue ejecutado el 10 de octubre de 1967 por el ejército boliviano. La Historia olvidará su nombre y lo llamará el "Che". Con su muerte, se convirtió en un mito. Este mito sigue tan vivo que, con motivo del trigésimo aniversario de su muerte, el marketing planetario de este fin de siglo obtuvo beneficios considerables explotando su sobrenombre sobre numerosos objetos. "¡Ernesto, despiértate, todos se han vuelto locos!".

108

▲ Juan Pablo II en Cuba, en enero de 1998.

El 21 de enero de 1998, a las 16:07 h, dos hombres se encontraban. Intercambiaron una sonrisa. Fidel Castro tendió los brazos y el Papa puso sus manos sobre las de Castro. El mundo del mañana acababa de cambiar. Esos dos seres fatigados y enfermos daban una lección ejemplar de humildad a los dirigentes del planeta. Empero, no había sido fácil acercarlos, sus diferencias parecían profundas. Aunque había sido aún más difícil para el líder cubano, a quien la política estadounidense de mitad de siglo había orillado al dogmatismo más extremo. En el crepúsculo de su vida, Fidel Castro hacía un esfuerzo enorme por recobrar las raíces de una memoria enterrada. Educado en la tranquilidad de un hogar católico, formado en la escuela de religiosos, Castro pedía perdón a su pueblo y deseaba su absolución.

Juan Pablo II admiraba el sacrificio de ese hombre quien, con plena conciencia, se exponía a la opinión pública internacional con el fin de poner término al bloqueo económico que había causado la desesperanza en su país. Enmedio de los gritos de entusiasmo que brotaban del pecho de ese pueblo cubano, ebrio por ese instante histórico, el Santo Padre se daba cuenta que tanto el uno como el otro tenían un mismo ideal para el Hombre, el de la liberación.

El retrato de Lenin, que reinaba desde hacía cuarenta años, había sido descolgado. En su lugar había una reproducción gigantesca de Cristo para resguardar a Juan Pablo II ese domingo 25 de enero de 1998. Cuba se daba cita con otra cara de la historia. Fidel lo había prometido y ahí estaba. Como lo había deseado, la visita del Papa era un éxito. Castro le había recomendado a su invitado expresarse libremente, a pesar de ello dio un salto cuando el Papa declaró: "Un Estado moderno no puede erigir como principio político el ateísmo o la religión." Empero, se levantó para aplaudir cuando el Obispo de Roma denunció el "capitalismo neoliberal que subordina la persona humana a las fuerzas ciegas del mercado". Acababa de condenar el embargo estadounidense que azotó a Cuba. Inmediatamente, medio millón de cubanos acompasaron: "Libres, el Papa nos quiere libres." Bajo los "vivas", Juan Pablo II les respondió: "Libre, libre, Cuba debe ser libre." Incluso Castro no pudo evitar la sonrisa.

De ese viaje llamó la atención la vitalidad de los creyentes, a pesar de los años de silencio. La Habana experimentaba tal sentimiento de libertad que un periodista escribió: "Desde ahora, Juan Pablo II es patrimonio de la humanidad." Pero en las miradas que Juan Pablo II y Fidel Castro intercambiaron pudimos leer el respeto, la comprensión y la búsqueda evidente de la dicha.

En los libros, los niños del siglo XXI descubrirán ese momento crucial de nuestra historia, en el que las ideologías dejaron de separar a los hombres. Y, si un día esos niños preguntan en qué fecha nació esa esperanza, les responderemos que se comenzó a creer en ello en París, un día del mes de agosto de 1997. ∎

109

▲ 350 000 jóvenes en el Campo de Marte.

Photographies Marc-Éric Gervais

110

Llamado a la juventud del mundo

Desde su liberación en 1944, París no había vuelto a tocar con tanto fervor el *Te Deum* de la paz. Reunidos por una misma esperanza, un millón de chicas y chicos participaban en las *Jornadas Mundiales de la Juventud* y ganaban fraternalmente la batalla contra la indiferencia. Esos jóvenes efectuaban así la última manifestación universal de este fin de siglo.

En veinte años de pontificado, Juan Pablo II
ha recorrido siete veces la distancia de la
Tierra a la Luna, ha visitado más de 140
países, se ha entrevistado con un número
igual de jefes de Estado, ha establecido lazos
nuevos con las otras Iglesias y reforzado la fe
de millones de hombres y mujeres. Ha
intervenido miles de veces ante los
gobernantes para aliviar las miserias y
restablecer los derechos de cada uno.
Su amor por el hombre no ha sido palabra
vana. Recordemos, como una de las marcas
de su ministerio, la alegría del pueblo alemán
derribando el muro de Berlín, en cuya caída
contribuyó el Papa. Sea cuales fueren nuestras
creencias, al mirar los rostros de esos jóvenes
de las Jornadas Mundiales de la Juventud,
debemos reconocer en ese Papa el mérito de
sus actos para que este mundo —que a veces
pierde la razón— pueda sonreír un poco.

▲ Desde Berlín a París, los gestos son los mismos cuando los jóvenes
derribaban el muro de la vergüenza, la indiferencia y la exclusión.

▼ La fiesta de la Fe para una juventud entusiasta.

Al subir las escaleras de la estación, Rosana Marchand no reconoció el metro. Todo estaba limpio. Los pasajeros sonreían. Incluso las ventanas de los vagones estaban limpias. Buscó un asiento, un joven se levantó galantemente y le ofreció el suyo. Se encontraba enmedio de una decena de estadounidenses que habían subido minutos antes. Con su canto religioso distraían a los parisinos, generalmente horrorizados por el ruido. Pero ese 18 de agosto de 1997, ningún signo de enervamiento se percibía. Por el contrario, se respiraba cierta tolerancia en los pasillos transformados en catedrales. Desde la víspera, las arterias de la *Ciudad Luz* se balanceaban al ritmo del formidable entusiasmo católico de una juventud mundial. Representando a más de ciento sesenta naciones, las jóvenes y los muchachos de todos los horizontes habían venido, invitados por el Papa, para celebrar las XXII Jornadas Mundiales de la Juventud.

Denver, Colorado, 1993. El Papa en el país de los cowboys y del dinero. A pesar del precio del viaje, seiscientos mil jóvenes se reunieron para saludar al Santo Padre. La organización elegida por la Iglesia estadounidense dio mucho de qué hablar. Se les reprochó la presencia de los patrocinadores, quienes se mostraron insistentemente. París 1997 enmendó este aspecto y proclamó el altruismo de las empresas francesas que prefirieron un mensaje eficaz a una imagen persistente, pegajosa.

Roma recibirá las primeras JMJ del tercer milenio a mediados del verano del año 2000. Juan Pablo II deseaba que tuviera lugar en Jerusalén. Por desgracia, la política tiene sus misterios. Lamentamos que no se dé la ocasión de reunir, en esa Tierra marcada por una historia tan dolorosa, a millones de jóvenes de todos los credos.

Las Jornadas Mundiales de la Juventud fueron iniciadas por Juan Pablo II en 1985. La primera de esas fiestas de la fe católica tuvo lugar en Roma, donde reunió a doscientos cincuenta mil jóvenes de 18 a 35 años. Buenos Aires los recibió en 1987. Posteriormente fue España, con trescientos mil peregrinos cuyas filas crecieron en 1989 en Santiago de Compostela. Eran un millón en Polonia en 1991, luego seiscientos mil en Denver. En 1995, Manila (Filipinas) recibió la mayor audiencia de los JMJ, con 4 millones de participantes.

113

Fueron agrupados por naciones; en París o en las afueras, fueron albergados en las escuelas o los conventos. Esos "turistas de la fe" animaban sus trayectos y coloreaban con generosidad lo simple de los lugares donde se quedaban. Aún más, tenían conciencia de la importancia de la última gran manifestación universal del siglo. Así, eran varios los cientos de miles que, con su presencia, desmentían los editoriales derrotistas de una parte de la prensa francesa que pronosticaba el fracaso ineludible del Papa y la caída inevitable de la Iglesia en Francia.

En el vagón, de pronto se oyó un *Many rivers to cross*, solitario y sublime. La voz era tan nítida que el silencio se hizo presente en el compartimiento. Todos querían saber de dónde provenía ese canto que se elevaba a las alturas. Una adolescente transportaba a los parisinos en pleno corazón de la música afroamericana. Cantando a la manera de Mahalia Jackson, Nelly se parecía a esas rubias que alegran las playas de California. La música ya no tenía etnia, ya no tenía color. Con los ojos cerrados y una visera de rap puesta al revés en su rubia cabellera, balanceaba su silueta cuya juventud la hacía destacar. Los blues eran suaves. Frente a ella, un adolescente

Photographies Marc-Éric Gervais

negro, con espaldas de jugador de fútbol americano, hacía bailar suavemente a sus *dreadlocks* con una sonrisa deslumbrante. Una francesa, estudiante de enfermería en el hospital Necker, se sumó al grupo. Moviendo los hombros y las caderas, a la manera de las bailarinas orientales, se integró de inmediato en ese *remake* improvisado de *Jesucristo Superestrella*. En la apertura de su blusa blanca se dejaba ver la mano de la fatma, a veces disimulada por los preciosos bucles castaños. Al mirar la cadena en oro, Nelly, la estadounidense católica, le guiñó el ojo con complicidad a Yasmine, la francesa de origen musulmán. Ambas bailaban juntas y acabaron por tomarse por la cintura. Ambas se sentían fuertes, cada una en su fe y orgullosas de sus orígenes. Rosana estaba impactada por ese toque de juventud que resulta del matrimonio del Oriente y el Occidente. Pero al mismo tiempo, no pudo dejar de pensar con tristeza en ese muchacho que habría tenido la edad de esas chicas.

Rosana era hija de profesores laicos desde hacía generaciones, por ello se reprochó interiormente el haberse dejado llevar por aquel ambiente carismático. Se sumergió entonces en la lectura del periódico *Liberación* del día lunes. Como solía suceder, el periodista Sergio July, había impactado, al anunciar las JMJ con el explosivo título de "¡La *Pride* católica!".

Una escandalosa pequeñez de corto alcance pues ese título evocaba la manifestación de la *Gay Pride*. Cada año, en la primavera, en un festival de colores y exuberancia, la comunidad homosexual desfila en las calles de París para reclamar el derecho a la diferencia, que por otro lado, en ese país no se les niega. Aunque católica no practicante, bautizada como muy a menudo sucede para *complacer a la abuela*, Rosana no estaba indignada por esa comparación que había molestado a muchos. El derecho de todos a la afirmación de las convicciones propias es un asunto que se tomaba con sentido del humor. Con ese título propio, ese diario rendía más bien homenaje a una juventud que mostraba sus creencias y se ofrecía con el corazón abierto, a una sociedad que, —hay que decirlo—, ya casi no creía en nada.

115

Cuando llegaron a la estación del metro cercana a la Torre Eiffel, el grupo de Rosana descendió, seguido por los jóvenes de otros países. El español se mezclaba con el coreano, el inglés con el italiano. El alemán se mezclaba con el sueco y el polaco con el lituano. El metro de París entonaba una canción al ritmo de la dicha. A la altura de su ventana, Rosana vio a un grupo de libaneses que llevaban en lo alto la bandera blanca con el cedro verde. De pronto, un grupo de jóvenes israelíes se paró frente a ellos. Uno de los muchachos agitaba la bandera azul cielo y blanco con la estrella de David. Intercambiaron sonrisas. Bajo los vivas, los hijos e hijas de los enemigos de siempre se abrazaron, como para señalarle al mundo de los adultos su incompetencia para acabar con las guerras. El vagón se puso en movimiento lentamente. Sólo se oía el ruido de las vías. Los pasajeros parecían tranquilos. Algunos rostros traducían una nueva serenidad, reforzada por la esperanza en el futuro.

Ese día Rosana terminó temprano y tenía tiempo para ocuparse de ella. Los niños estaban de vacaciones y su marido llegaría tarde. Estaba casada desde hacía quince años; normalmente consagraba su tiempo libre a su familia. Al igual que millones de madres, Rosana llevaba una vida cronometrada, repartida entre una actividad profesional cada vez más presionante, y una vida doméstica cada vez menos valorada. La semana comenzaba muy temprano el lunes y terminaba el sábado por la tarde, después de las compras del supermercado. En suma, llevaba una vida en la que la reflexión tiene muy poca cabida. Sin quejarse, esa encantadora mujer de cuarenta años, llevaba la misma vida de aquellas que con preocupación ven crecer a sus hijos en un contexto degradado. Tenía deseos de no vivir en las afueras de París, pero no tenía los medios para lograrlo. Trabajaba en una empresa donde, si se acepta una reducción en el salario, se conserva el empleo; hacía lo que podía para que le alcanzara para fin de mes. Desde hacía algún tiempo, Rosana se preguntaba sobre el sentido de su vida. En realidad estaba cansada. Agotada por el temor del mañana y por no poder creer en nada. Y cuando dos lágrimas discretas hicieron brillar sus ojos, prendió maquinalmente la televisión, resuelta a cambiar de *tema*.

Ettore Malanca

Marc-Éric Gervais

Se quedó sobrecogida por la imagen de Monseñor Sabbah, quien oficiaba junto con Monseñor Lustige. Un silencio impresionante embargaba la homilía pronunciada en árabe. El patriarca latino de Jerusalén se dirigía a los cristianos del Medio Oriente. Hizo un llamado para no olvidar a los mártires de Argelia. Sus palabras estaban también destinadas a los maghrebinos de Francia y a aquellos que los rechazan. De esta forma preparaba el mensaje que dirigiría muy pronto el Papa contra la exclusión y contra cualquier forma de racismo. Al término de esta intervención, trescientas mil personas, entre ellos miles de franceses, se levantaron como resortes. Sombreros y boinas de todo tipo salieron volando al cielo, como gesto de alegría espontánea.

La juventud de todo el mundo aplaudió durante varios minutos. En una fracción de segundos, bajo la mirada complacida del cardenal
Lustiger, Francia reencontraba su dignidad y su
vocación de madre de los oprimidos del planeta. ¡Qué bonito era ver cómo renacía ese país a
los ojos de esos jóvenes! Las JMJ habían sido
iniciadas. El Papa había triunfado. Rosana,
cautivada por ese instante de reconciliación se
arrellanó en su sofá. Le gustaba esa multitud
unánime con los colores de la igualdad, la libertad y la fraternidad. Tenía ganas de creer en
ello. Admiraba el valor de esos jóvenes que re-
sultaban ser más adultos que sus padres. Frente a ella, mostraban que si se quiere, se puede
esperar cambiar al mundo. Empero, se negaba

a sentir culpa por educar a sus dos hijos fuera
de la religión. La vida le dejaba tiempo apenas
para enseñarles la dignidad y el respeto del ser
humano. Le envidiaba a esa multitud que loaba
a Dios y a Jesucristo, el poder invencible que
representaba el estar juntos. Ella quien a menudo se sentía sola. Con la mirada en el vacío, le
vino a la memoria un cartel exhibido en los muros de París, y que decía: *Vengan y miren*. Con
un gesto inconsciente que no hacía desde que
tenía trece años, juntó sus manos y se puso a
rezar.

Más tarde, recibió a su esposo con una nueva
serenidad. Su decisión era irrevocable. Dijera
lo que dijera su esposo, ella *iría y vería*. ∎

Usted
cambia al planeta

A la sombra de la Torre Eiffel, en contraste con la prudencia de quinientos mil peregrinos que se reunían sin prisa, el centro de prensa de la Quai Branly estaba a reventar. Bajo la dirección del padre Lalanne, el equipo de Pierre Kremner respondía con eficiencia a las demandas particulares de tres mil periodistas. Frente al éxito que aseguraban las JMJ, las nuevas demandas de acreditación llovían del mundo entero. Ese jueves 21 de agosto de 1997, eran muchos los que querían "volar para ayudar a la victoria".

La mañana misma, el airbus de Alitalia, adornado con las armas del Vaticano, se había apostado cerca del pabellón de honor del aeropuerto de Orly. Bajo un sol ya caliente, el presidente Jacques Chirac y su esposa Bernadette esperaban la salida del Santo Padre. La primera dama de Francia llevaba puesta una mantilla negra y estaba visiblemente emocionada. A las 10:27 h, la pesada puerta dejó mirar a un hombre viejo y encorvado que se enderezó sonriendo. Saludó a sus anfitriones, luego bajó los escalones y caminó los primeros metros sobre el tapiz rojo de la República Francesa. Bajo la atenta mirada de la clase política del país *menos creyente* de Europa, Juan Pablo II iniciaba su séptima visita a Francia.

Jacques Chirac tenía deseos de inclinarse frente al Vicario de Jesucristo, pero le bastó con apretarle la mano. Con ello nacía una polémica sobre el lugar que los medios le asignaban a la visita del Papa. Por ello, le habían aconsejado ir contra sus convicciones personales. En consecuencia, recibió al Santo Padre como jefe de Estado, respetuoso de las creencias de todos los franceses.

Al penetrar en el patio del Elisée, Juan Pablo II pudo comparar el estilo de los distintos locatarios del palacio presidencial. El 31 de mayo de 1980, su visita al presidente Giscard d'Estaing, se había vuelto una pesadilla. La crema y nata parisina se había mediomatado por acercarse al nuevo Obispo de Roma. El mismo presidente de la República Francesa en persona ayudó incluso a las esposas de los ministros a subirse por las ventanas del palacio para que pudieran refugiarse. Cuántas de entre ellas, enfurecidas de rabia, tuvieron que abandonar precipitadamente los lugares, pues las faldas, las medias o la ropa interior, no habían resistido la difícil *ascensión del poder*. El presidente François Mitterrand había resuelto el problema con eficacia. No se dignó recibirlo en París. Pero qué importa, el Papa tuvo un triunfo en la provincia. Jacques Chirac había optado por una fórmula parisina, despro-

▲ Juan Pablo II y Jacques Chirac, presidente de la República Francesa.

vista de todo ceremonial que pudiera fatigarlo. Sobre la escalinata del Elisée, los dos hombres se voltearon brevemente hacia los fotógrafos. De la misma manera que el primer ministro, Lionel Jospin, lo haría tres días más tarde, con mucho tacto y respeto, el presidente Chirac adecuaba su cariz y actitud a su huésped.

A las 11:30 h, Jacques Chirac inició su discurso. En ciertos momentos, en sus palabras se descubrían verdaderas intenciones humanitarias, como las que lo habían guiado en ocasión del último homenaje rendido a su predecesor. Luego, el presidente hizo patente la responsabilidad del Estado en el fracaso moral de la sociedad. Recordó ejemplos de la Historia, como aquel de mayo de 1995, cuando él fue el primer jefe de Estado francés en reconocer la culpa del país, en el martirio de los judíos durante la Segunda Guerra Mundial. Por último, concluyó diciendo: "Santo Padre, es usted un guía, una referencia."

Juan Pablo II agradeció a los parisinos el recibimiento que les daban a los jóvenes. Luego, centró su intervención en las esperanzas que había que propiciar en París: "Muy a menudo, los jóvenes se topan con la precariedad del trabajo, con una pobreza extrema; su generación busca con dificultad no sólo un mínimo de medios materiales, sino razones para vivir y objetivos que motiven su generosidad." Su viaje era social. La prensa no tardó en lanzar los encabezados de: "Con miles de jóvenes, el Papa se lanza contra el muro de la indiferencia."

121

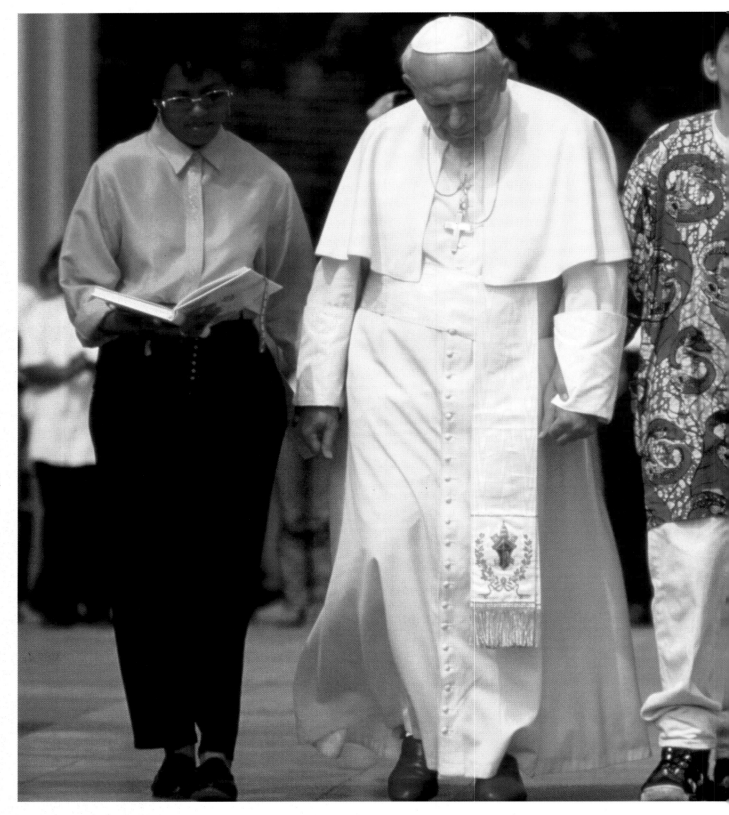

En el Trocadero, en la fiebre de la última repetición, los jóvenes no podían dejar de escrutar el cielo para tratar de ver a su ídolo. Transportado por el ejército de la fuerza aérea, Juan Pablo II no tardaría en pasar. Con dulzura, Geneviève Anthonioz-De Gaulle daba la señal al director para que invitara a los "niños" a que repitieran su intervención. Una hora más tarde, una multitud considerable era canalizada detrás de las barreras. De pronto se mostró inquieta. El *papamóvil* llegaba. De pie, el Papa se mantenía con la mano derecha en la barra de apoyo. Saludaba

bió y la abrazó. Juntos caminaban lentamente hacia la losa sobre la cual su amigo Wresinski había mandado grabar el pensamiento siguiente: "Ahí donde los hombres son condenados a vivir en la miseria, se violan los derechos del hombre; unirse para hacerlos respetar es un deber sagrado."

Diez jóvenes de ambos sexos, que simbolizaban la diversidad de los hombres del planeta, se acercaron y rodearon al Santo Padre para conducirlo a la tribuna. A pasos contados y cogidos de las manos avanzaban. En ese instante, nadie podía decir quién estaba más emocionado: los jóvenes, o el que era menos joven. Al tiempo que caminaba a la derecha del Papa, una adolescente africana le leía un texto sobre el valor y la generosidad. Ligeramente encorvado, con la cabeza inclinada un poco hacia adelante, Juan Pablo II pensaba en su amigo polaco, a quien había apoyado en sus eficaces combates. El padre Wresinski había obtenido del gobierno Rocard la instauración del salario mínimo garantizado. Les había devuelto un poco de dignidad a los excluidos de un sistema económico a media asta. En el homenaje que le rindió, Juan Pablo II no tuvo tiempo para mencionar todo lo que su compatriota había realizado. Cuando los amigos presentes del padre Wresinski vieron que el Papa abandonaba la explanada, recordaron el consejo que solía darles a sus alumnos: "¡Si no sabéis leer, siempre seréis esclavos de los ricos, de los sindicatos y de los curas!" ■

123

a la multitud entusiasmada. El automóvil se detuvo sobre la plaza de los Derechos del Hombre. Juan Pablo II acababa de rendir homenaje al padre Wresinski, fundador de la asociación humanitaria ATD-cuarto mundo. La presidenta Anthonioz-De Gaulle avanzó. El Papa la reci-

Photographies Marc-Éric Gervais

◄ Como preludio a la apoteosis de Longchamp, 500 000 jóvenes responden con su presencia en el Campo de Marte, el 21 de agosto de 1997.

John Paul Two, we love you!

Más que un grito del corazón, aquello fue una verdadera liberación. Sobre la estrada, con una mantilla fuchsia sobre las espaldas, una joven tailandesa fijó su mirada felina en la del Papa. En voz alta, separaba cada sílaba al decir: *"John Paul Two, we love you!"*. De inmediato los peregrinos se apoderaron de esa declaración y la repitieron a pulmón batiente. Sentada entre ellos, Rosana tenía la carne de gallina. Desde el famoso 10 de mayo de 1981, no había experimentado una emoción colectiva.

¡Con todo, la espera había sido larga! Cuando Rosana llegó a la Torre Eiffel hacia las tres de la tarde, los voluntarios la condujeron hacia una de las zonas donde había algunos lugares. Tímidamente, se abrió paso con dificultad entre aquella multitud de jóvenes. Algunos de ellos estaban ahí desde la mañana. Pasó por encima de los que dormían y que habían amenizado la meditación religiosa de la víspera, con un recorrido prolongado por las discotecas parisinas. Rosana encontró un rincón de césped en el que pudo sentarse. Un poco a la orilla de la explanada, aprovechaba la poca sombra que daban los viejos árboles que delimitaban los andadores. Se encontraba, empero, lejos del podium en el que el Papa tomaría la palabra. El escenario le parecía minúsculo; apenas se distinguía el gigantesco Cristo de bronce que parecía querer competir con la Torre Eiffel. En realidad, no le importaba estar lejos del Papa, lo que quería era entender.

Mirando a su alrededor, observó algunos jóvenes españoles que organizaban la distribución del agua enmedio de un alboroto indescriptible. Algunos alemanes, con el torso desnudo, jugaban cartas. Había chicas sentadas con las piernas replegadas leyendo. Algunas, recargadas en sus amigos, escribían tarjetas postales. Entretenida viendo que en esa juventud había *una repartición de las tareas*, que se parecía a lo que ella conocía en su casa, Rosana continuó con su recorrido visual. Un chiquillo de Camerún le robaba con placer besos a una rubia espléndida. ¡Sus compañeros envidiosos, buscaron a su alrededor una manera rápida de participar en el acercamiento de los pueblos! Más lejos, una italiana, que había interrumpido sus vacaciones para ir a París, peinaba su larga cabellera negra. Por momentos, su blusa escotada dejaba adivinar un busto bronceado. Al observarlos, Rosana pensó que nada diferenciaba a los católicos de los otros. En su espíritu, la imagen de una religión fuera del tiempo y consumida por los años se esfumaba. En ese instante, Rosana tenía la misma edad que aquellos jóvenes.

Photographies Marc-Eric Gervais

Diferentes grupos musicales se sucedieron en el escenario. Su presencia expresaba la riqueza cultural del mundo. Una pantalla gigante permitía seguir sus movimientos, que en ocasiones levantaban oleadas de aplausos. Empero, la multitud ahí reunida esperaba bien que mal. De pronto, Dee Dee Bridgewater, la cantante negra estadounidense de cabellos rubios, tomó el micrófono. Las trompetas anunciaban a la multitud, paralizada de pronto, que Dee tomaría el aliento que le faltaba. A las 16:35 h en punto, el milagro se produjo. La artista no había tenido tiempo siquiera de terminar su primera frase de *Happy Day*, cuando el medio millón de espectadores se transformaba en medio millón de coristas espontáneos. Ya no había religiosas, ni adolescentes de los barrios de Boston, ni estudiantes de La Haya, o niñeras, curas de pueblo, sino que era un solo corazón el que entonaba el mayor gospel al aire libre del mundo. Era un Harlem en el Sena. Rosana, quien había venido para ver, estaba sobrecogida. Una chiquilla de Rotterdam vino a jalarla de la manga para integrarla al torbellino de la fe. El ritmo sega se mezclaba con el madison y el twist con el rock'n roll. Rosana sudaba a mares. Los problemas de falta de fondos bancarios se habían ido. La ida al supermercado desaparecía. Se desvanecían las pilas de ropa por planchar. Vibraba en lo más profundo. ¡Si su esposo la hubiera visto! Al pensar en él, se arregló el pelo hacia atrás y quedó más bella. Tenía sus manos sobre los hombros de una adolescente de Praga cuando un grito de regocijo se impuso sobre la cantante y la orquesta.

Instintivamente, todos voltearon hacia la entrada. Las banderas ondeaban en todos los sentidos. Las religiosas caían de rodillas. Los sacerdotes rezaban. Un viento de amor excepcional agitaba las mascadas blancas. Las muchachas sobre los hombros de los chicos levantaban el brazo y gritaban. Sus manos dibujaban la señal de la victoria en el cielo de Francia. Algunos lloraban en silencio. Bajo la mirada de Rosana, atónita por tanto fervor, el Papa Juan Pablo II acababa de llegar.

Desde la Torre Eiffel hasta la Escuela Militar, todos ponían atención para comprender el mensaje del Santo Padre. Estaba obligado a hacer pausas cortas. El calor volvía difícil su lectura en diferentes lenguas. Desde hacía más de una hora, el Obispo de Roma se dirigía a la multitud. Parecía cansado. Rosana cerraba los ojos para entender mejor lo que escuchaba. Todo era tan nuevo para ella: el entusiasmo Bridgewater, la locura cuando el Papa llegó y ese eslogan increíble de *"John Paul Two, we love you!"*, que aún resonaba en sus oídos. ¿Por qué amaban tanto a ese hombre?

Como la mayoría de franceses, Rosana tenía una opinión más bien negativa de todo aquello. Sobre ciertos puntos, como el aborto y los preservativos, le parecía retrógrado. Respecto al mensaje que había dado desde hacía veinte años, ella confesaba no haberlo escuchado en absoluto antes. Para ella, esa era una oportunidad para saber más del asunto. A su derecha, la pantalla enviaba la imagen de un hombre viejo. ¡Qué aire más apacible tenía! La carga emotiva que reinaba en el lugar la atraía. Aplaudió cuando el Papa

sacudió a la multitud y a ella misma, con las siguientes palabras: "Cuando los hombres sufren, cuando son humillados por la miseria o la injusticia y que son engañados en sus derechos: Acercaos a ellos para servirlos." En ese momento, Rosana decidió escucharlo.

No dejó de reconocer la madurez de esos "muchachos" que reaccionaban con un sinfín de gestos oportunos. Se sorprendió de que el tono político del mensaje cautivara a los jóvenes, a quienes la vida política de sus países respectivos no necesariamente les interesara. Incluso fue sorprendida cuando, durante una *standing ovation*, los jóvenes aprobaron al Papa al pedirles encarecidamente: "Oremos por los jóvenes que no tienen la posibilidad, ni los medios para vivir dignamente y recibir la educación necesaria para su crecimiento humano y espiritual, a causa de la miseria, de la guerra o la enfermedad." En la tribuna, Monseñor Dubost, el organizador de la JMJ, observaba a la multitud con una alegría visible. Él mismo estaba sorprendido por el éxito de esas *Jornadas*.

Photographies Marc-Eric Gervais

Le habían dicho tantas veces que fracasaría, que hasta él mismo lo dudaba. Pero en ese verano canicular, con el agua racionada y con poco aire, eran quinientos mil los que estaban sentados en el polvo y las más de las veces mal ubicados. ¿Quién hubiera creído que quinientos mil "cuerdos" se apasionarían escuchando un discurso filosófico? Lo que estaba en juego era arriesgado. La prensa incluso le había hecho decir que el Papa ya no lograría reunir a cien mil personas. ¡Qué equivocada estaba! Empero, había que reconocer que para muchos la escena que se presenciaba en ese instante era superrealista.

En una época en que los discursos políticos más cortos son a menudo los mejores, el Papa volvía a tener éxito con un mensaje poco accesible. Había empezado con la simbología del lavado de pies y había hecho múltiples citas del Evangelio, un texto que no tenía ninguna posibilidad de ser difundido en *prime time*. ¡A pesar de todo, nadie había abandonado sus lugares! A pesar de que su dicción era algo vacilante y estaba alterada por un acento indefinible, le habían aplaudido como a ningún líder se le ha aplaudido nunca en París. Empero, el Santo Padre no se parecía en nada a un líder popular. En una sociedad que privilegia la forma sobre el contenido y que desarrolla el culto por el cuerpo sobre el espíritu, su aspecto obraba en su contra.

Juan Pablo II estaba en las antípodas de un marketing planetario que en el mundo actual crea las opciones políticas. Incluso cuando la Iglesia hizo algunos ejercicios de "publicidad", las referencias bíblicas, aunque reducidas a su más simple expresión, seguían siendo difíciles de circunscribir. Tal es el caso de "Amad a vuestros enemigos", por ejemplo. Empero, en ese momento eran quinientos mil los que reaccionaban y aplaudían al unísono.

Sentada en la sombra de la Torre Eiffel, con los brazos alrededor de las rodillas, Rosana proseguía su análisis. Poco a poco comprendía el impacto que este hombre y su mensaje tenían sobre las multitudes. Comparaba lo que estaba escuchando con los diferentes discursos políticos de los últimos años.

Tenía el sentimiento de que el Papa era escuchado porque su mensaje era diferente. No prometía mañanas gloriosos que muy pronto se tornan desilusiones. No explicaba hoy lo que no sería mañana. No retrocedía al mínimo cambio de humor de una sociedad cambiante. Por el contrario, en el dominio de la vida íntima, Juan Pablo II se negaba a estar de acuerdo con las mujeres de la actualidad: dueñas de su cuerpo y de su destino de madres. En esta multitud eran cientos de miles, entusiastas, tan modernas, tan femeninas las unas como las otras. Exigían la libertad de dar vida cuando lo desearan. Y sin embargo, literalmente santificaban al hombre que se negaba a modificar sus convicciones y con ello estar a la moda.

Más difícil aún, el Papa incitaba a esos jóvenes a hacer un esfuerzo que resulta poco perceptible en una sociedad de medios que valora sólo lo visible.

Enmedio de un entusiasmo indescriptible, los alentaba a mirar por el bienestar del otro, en una época como la nuestra en la que se espera mucho del Estado. Mejor aún, el Santo Padre hacía un llamado a la responsabilidad conjunta, contraria a los dogmas seculares que regulan el trabajo en la empresa, donde el individualismo está por encima de la inteligencia de grupo.

Ahora Rosana tenía la certeza de haber entendido. Ese hombre restauraba la esperanza e infundía ánimos. Unificaba en pro de un mejoramiento de la vida del hombre. No dividía, acogía sin distinción. Los jóvenes esperaban eso: un mensaje optimista y verdadero. Al dejar el Campo de Marte, Rosana sonrió con la última broma del Santo Padre. Conociendo los atractivos de París, con una sonrisa resplandeciente, el Papa dijo con malicia a los jóvenes: "Dormid bien." No se sabía si se trataba de un consejo o de una última recomendación. Rosana tenía prisa por contarle a su esposo lo que había hecho, lo que había visto y lo que había escuchado.

Michel, su esposo, estaba en su casa viendo tranquilamente las noticias en la televisión, cuando un verdadero huracán cayó sobre él. Sin darle tiempo de reaccionar, la joven mujer le hizo vivir las emociones que había experimentado ese día. Testigo de esa fe viva, escuchaba la descripción que hacía su esposa del rostro de los católicos actuales. Quería compartir y esperaba que él participara en su entusiasmo. Pero al ver las reservas de su esposo, se ponía en su contra. ¿No tenía derecho a informarse y a preguntarse? Concluyó afirmando que si se equivocaba sobre el Papa y sobre el resto, lo reconocería. Pero al menos sabría por qué se había equivocado.

Frente a tal entusiasmo, Michel le prometió acompañarla a Longchamp. Él más bien bromeaba, su cultura religiosa se limitaba a la compra semanal de *La Biblia en video*, que cautivaba a su hijo de once años. Rosana tomó el teléfono para invitar a sus amigos a la fiesta que un millón de personas esperaba con impaciencia. ■

Photographies Marc-Eric Gervais

▲ Los jóvenes estuvieron distribuidos por comunidad de lengua en las diferentes iglesias de París. En la foto aparece la Iglesia de Saint Lambert.

▼ Juan Pablo II en Notre-Dame, el 22 de agosto de 1997.

Gamma

Al entrar en el café de costumbre, Michel se preguntaba si estaba soñando. Por primera vez los clientes no hablaban sólo de fútbol. Esa mañana del viernes 22 de agosto, todas las conversaciones se centraban en Juan Pablo II y en las sonrisas de los jóvenes. La ciudad sólo hablaba de eso. Cada uno daba su modesta opinión sobre esa juventud que creían "perdida" y que parecía dar a los adultos, nuevas ganas de vivir. Por primera vez, Juan María, el barman, no encontraba a nadie que hiciera eco a sus provocaciones racistas cotidianas. Se abstuvo incluso de cualquier comentario cuando un cliente citó la frase del periódico el *Parisien*: "Nos negamos a que la miseria destruya a la humanidad. Unirse para hacer respetar los derechos del hombre es un deber sagrado." Así, el Papa había subrayado la evidente tradición histórica de una Francia ubicada, durante su visita, en el centro del mundo. Lo que no desagradaba a Michel, ni a sus compañeros.

A pocos metros de ahí, el ambiente ya estaba agitado. A las 9 de la mañana ya se sentía la fiesta. En la iglesia de Auteuil, ubicada en un barrio elegante de París, los jóvenes asiáticos de las JMJ estaban llenos de entusiasmo. Coreanos y taiwaneses recibían a vietnamitas católicos. Acababan de participar en una misa común. Estaban felices de pasar el día juntos y hablar de sus familias. Algunos intercambiaban direcciones de restaurantes que sus padres tenían. Las JMJ también servían para eso. Otros se habían encerrado en la sacristía para seguir, desde Notre-Dame, la retransmisión de la beatificación hecha por el Papa, de Federico Ozanam, fundador de la Sociedad San Vicente de Paúl. En el interior de la catedral, reinaba una atmósfera de fiesta. Los miles de fieles agitaban en todas direcciones pañuelos blancos para saludar la salida de Juan Pablo II hacia la ciudad de Evry.

Más tarde, en el helicóptero que lo llevaba de regreso a París, el Papa confesaba el impacto que le habían causado las críticas de su viaje. Sufría los ataques de aquellos que le reprochaban hacer una reunión la noche de San Bartolomé. No pudo dejar de suspirar. Ni él ni nadie había supuesto que la velada de Longchamp había tenido lugar 425 años después de la horrible masacre que generalmente nadie conmemoraba.

Sufría también los ataques que había provocado su deseo de inclinarse sobre la tumba del padre Lejeune. Es verdad que el Santo Padre se sentía cerca del descubridor de la trisomía 21, o mongolismo, pero igualmente creador de la asociación "Déjelos vivir." Había admirado su abnegación en favor de esos niños enfermos así como su ayuda a las familias que viven ese drama. Frente a eso, el Obispo de Roma no valoraba el extremismo de esos militantes *pro life* a la moda estadounidense que, por su desmesura, se ubicaban fuera de la fe. Ya que para él, la fe es, fundamentalmente, no violencia.

Enjugándose la frente, se preguntaba cuántas veces había reafirmado su oposición al aborto y al mismo tiempo, cuántas veces había condenado todo recurso a los actos violentos. Aborrecía el aborto, lo consideraba como el rechazo a Jesucristo: "Dios es vida." Pero pensaba también que el aborto era una negación intolerable de la mujer. En ocasiones, se enfurecía contra aquellos que le reprochaban su dogmatismo. Estos pensaban que él no suponía lo que una mujer siente durante años, cuando es empujada a realizar ese acto extremo. Pero él lo sabía. Un día incluso dijo con exclamación: "Haced cualquier cosa para que ella no sufra eso." Claro, cada una tenía que resolver ese doloroso problema según su conciencia. Cuántas veces había dicho que comprende que una mujer pueda llegar a esa elección y que Dios perdonaría. Pero reconociendo a la Virgen María en toda mujer, Juan Pablo II habría dado todo, hasta su propia vida, por evitarle ese traumatismo irreversible.

Ese 23 de agosto, el Papa ya no sabía cómo expresarse para ser oído. El día anterior por la mañana, defendía los derechos del hombre y por la tarde exhortaba a los jóvenes a unirse contra la exclusión. Esa mañana, saludaba el valor de los laicos en la persona de Ozanam. En Evry acababa de recibir todas las confesiones y había actuado gozoso en pro del acercamiento de todas las creencias. Una hora más tarde, daría a los obispos la orden de que antes de que terminara el mes de septiembre, pidieran perdón a los judíos de Francia, por el silencio imperdonable de la Iglesia durante la Segunda Guerra Mundial. ¿Qué más podía hacer? Y al terminar la tarde, el Papa tenía la impresión realmente de pasar su tiempo disculpándose. Mirando la ventanilla murmuró: "Quizás es justo así."

Luego, el ruido de los rotores dieron la razón a su resistencia. Mientras que otros se recogían serenamente en París, Juan Pablo II se adormeció algunos instantes. ∎

Photographies Marc-Eric Gervais

El triunfo
de la Fe

Perdido en un océano de verdor del Oeste parisino, el hipódromo de Longchamp recibía las continuas oleadas de cientos de miles de peregrinos. Ese 23 de agosto, la juventud del mundo respondía "presente" al llamado de Juan Pablo II. Estaban ahí por la velada precedente, en que tuvo lugar la celebración de la mayor misa de la Historia de Francia. Pero ningún participante dudaba que la multitud se encontraba como en Roma, en la Plaza de San Pedro, para que el Papa se sintiera como en casa.

Desde lo alto de la tribuna, comúnmente reservada a la prensa hípica, Jean Marie Duthilleul, arquitecto de la SNCF, observaba los millones de manchas de colores que embellecían el cuadro central. Ese arquitecto de 47 años, egresado del Politécnico mostraba una amable sonrisa. En pocos minutos, ganaría la apuesta. Se acordaba del día en que, por amistad a Monseñor Dubost, había respondido: "Sí, es posible." Así, él se había encargado de acondicionar el lugar y el altar donde el Papa oficiaría. Pensado en el sufrimiento de ese pobre hombre cansado, había reproducido las dimensiones exactas de la Plaza de San Pedro. De esa forma, el altar parisino tenía una altura idéntica a la del balcón al que estaba acostumbrado el Vicario de Jesucristo. Las zonas para los peregrinos estaban dispuestas en largas filas transversales con las mismas proporciones que impone el protocolo del Vaticano. ¡Ese era un verdadero trabajo profesional! Empero, cuánta hiel se había derramado hacia una profesión que como la arquitectura, se consideraba que no podía dar una caridad a la Iglesia.

Marc-Eric Gervais

142

Ettore Malanca

Lejos de ese corporativismo de otra era, Rosana, Michel y sus amigos habían encontrado un lugar en la zona contigua a la tribuna oficial. Desde hacía dos horas, los invitados y un gran número de eclesiásticos, cuya vestimenta había sido confeccionada por el modisto Jean-Charles de Castelbajac, ocupaban el espacio reservado a los V.I.P. Michel notó que ciertos sacerdotes daban la espalda al escenario. Sus albas de color terracota, se deformaban discretamente por la Magnum 357 de servicio. La seguridad era máxima. Se temía un atentado, del cual los grupos extremistas se beneficiarían por la publicidad mundial que daría el momento. Doscientos policías se posicionaban alrededor de la tribuna; mil quinientos miembros del servicio de seguridad se confundían entre el público. Nada los hacía diferentes de los jóvenes, excepto la actitud de mayor reserva. De pronto, una explosión de gozo saludó la noticia de la distribución de la cena que diez mil voluntarios, jóvenes y chicas, repartían con entusiasmo.

Photographies Marc-Eric Gervais

Eran más de las seis de la tarde, los jóvenes tenían hambre. Esa misma mañana, un gran número de ellos había participado en una gigantesca cadena de la fraternidad. A lo largo de los treinta y seis kilómetros de los boulevares que rodeaban París, trescientos mil peregrinos se habían tomado de las manos en el momento en que las iglesias de París repicaban a todo vuelo las campanas. Con la mirada dirigida hacia el exterior de la capital francesa, como símbolo de la apertura al mundo, aquellos jóvenes encadenaron su meditación con una "Ola" iniciada por los brasileños. Se estaba de lleno en Río, en el corazón de la samba. Al ver la señal, la multitud disciplinada tomó menos de cinco minutos, con reloj en mano, en dejar libre el boulevard para los automovilistas. Luego, con la bolsa a la espalda, o cruzada por el frente, cada uno se dirigió, en la mayor calma, hacia Longchamp.

Por la hora que era, nada habría distraído a los jóvenes de sus ágapes. Al igual que los demás, Michel, Rosana y sus amigos comían sentados en el césped. Entre los dos bocados de pollo, los que recién llegaban por el camino de la fe, intercambiaban comentarios elogiosos sobre la organización que les parecía perfecta. La empresa Sodexo había realizado una verdadera proeza: mil empleados estaban ahí para asegurarse que nada le faltara a nadie. Para ellos, "la operación JMJ" apenas había comenzado. Servirían toda la noche sin restricción; al día siguiente, un desayuno y una cena después de la misa. La mesa más grande de la historia de la cristiandad tenía proporciones gigantescas. Esta empresa de comida había hecho su trabajo con inteligencia a escala humana. No se distribuía la comida por hilera, sino que alrededor de la *estufa Grand-Mère*. Los jóvenes comían por grupos de seis. Los rodeaba una atmósfera de convivencia casi familiar. La Iglesia había decidido, consentir a esos jóvenes lejos de sus familias. Los jóvenes extranjeros apreciaban las marcas culinarias del arte de vivir a la francesa. Algunos adultos hubieran querido encontrar ese refinamiento en el restaurante de su empresa.

A partir de ese momento, Longchamp estaba repleto. En varias ocasiones, Monseñor Dubost pidió a los peregrinos que se apretujaran para permitir la entrada a los que esperaban fuera del perímetro. A decir verdad, los jóvenes casi no lo escuchaban. Esa noche de fiesta, estaban impacientes por instalarse cómodamente. Rosana y sus amigos, al no haber previsto que pasarían ahí la noche, hicieron un lugar a los que acababan de llegar. Eran sacerdotes que venían de Wallis y Futuna. Se inició un diálogo de inmediato con esos compatriotas del fin del mundo. Se enfrentaban dos concepciones de la vida. Pero los intercambios seguían siendo amigables. Los laicos estaban contentos de poder abordar temas que les interesaban mucho y los religiosos estaban felices por recibir a no creyentes que *venían y miraban*. Gilles, el padrino de la hija de Michel, abordó la famosa cuestión del uso de preservativos y de los estragos del sida. El padre Alain Gérard, quien había ejercido su ministerio en África, respondió sin rodeos. Teniendo cuidado en su expresión, para ser bien comprendido, precisó la posición de la Iglesia y la suya en función de su experiencia. Frente a la incredulidad de sus interlocutores, pulió sus argumentos citando al Santo Padre: "Amad vuestra vida y la del otro, por el amor no vale la pena morir."

Luego, el padre Gérard, respondió a una pequeña provocación dando a entender que el mensaje del Papa se centraba en las costumbres. Recordó simplemente que menos del diez por ciento de los escritos y las declaraciones de Juan Pablo II estaban consagradas a la vida íntima. Al fin psicólogo, el eclesiástico les planteó a su vez una pregunta sobre la fidelidad. No hubo debate alguno. Las mujeres no admitían, en ningún caso, ser engañadas. Michel y Gilles tampoco. Sobre ese tema, las palabras del Santo Padre serían incuestionables. El Papa les pareció de pronto menos retrógrado. Habían venido para ver. Francamente, no los iba a decepcionar.

Ettore Malanca

Cuando escuchó el clamor que subía del fondo del hipódromo, Annie, enfermera militar, lanzó un suspiro de alivio. El Papa llegaba y distraería la atención de aquellos a quienes el calor incomodaba. Los esfuerzos del director de orquesta coreano, Myung Whun Chung no habían bastado, muchos jóvenes se sentían aturdidos. Annie y su equipo habían prestado ayuda casi a cien personas durante la última hora.

El sol empezaba a ponerse. Sus rayos rojos daban una luminosidad particular al *papamóvil*. La canción *"I believe"*, que Dee Dee Bridgewater había compuesto especialmente para el Papa, estalló. En un torrente de gritos y aplausos, Juan Pablo II lograba llegar al altar. Levantó los brazos y la noche cayó brutalmente. El *timing* era perfecto. Michel y Gilles se miraron; estaban impresionados.

150

Bajo la atenta mirada de una multitud unida, el Papa se ubicó bajo la inmensa cruz, que iluminada, parecía cubrirlo. Juan Pablo II tenía el aire tan humilde y tan frágil que se habría dicho que era un hombre. En el cielo, los juegos de luces reproducían gigantescas bóvedas góticas. Rosana y sus amigos se sentían en la basílica de San Pedro. Setecientas mil personas estaban en el corazón de la religión. El Santo Padre podía dar

inicio a la más grande velada bautismal de este fin de siglo. El Obispo de Roma impregnaba su liturgia con el amor que tenía por el Hombre. Dejaba que su conciencia hablara, se dirigió en especial a la comunidad protestante. Sobre el estrado de madera clara, eran muchos los que esperaban un gesto de la Iglesia de Roma que demostrara, en ese momento, toda su universalidad: "Los cristianos han cometido actos que reprueba el Evangelio." En la noche de San Bartolomé, un hombre dejaba oír su voz contra todos los holocaustos.

Una ovación le respondió. El catolicismo tomaba una nueva dimensión humanista, muy alejada de la idolatría. Una comunión unía el mundo con este hombre, tan criticado por su visión de la vida íntima y no obstante tan cerca de las expectativas cotidianas de las personas. Un ligero viento bienhechor se levantó y el Papa prosiguió: "Conservad el valor, seguid siendo artesanos de la reconciliación y de la paz."

Hacía un llamado en pro de la unión de todas las religiones. "¿Quién podría oponerse a ello?", preguntó Michel dirigiéndose a Gilles. Inmediatamente, su amigo le respondió sonriendo: "Tienes razón, nadie. Pero, ¿quién lo dice honestamente?" En realidad, Gilles, a quien la vida no le había permitido continuar los estudios y superarse como merecía, estaba conmovido por lo que el Papa había dicho desde que había llegado a París. Le agradecía el haber recordado el deber hacia la educación y el derecho que todos tienen de tratar de superarse. Las preocupaciones de Gilles eran naturalmente más sociales que espirituales. Pero en ese momento, se preguntaba si la religión no formaba un todo indivisible que guiaba cierta forma de compromiso en la vida.

Más tarde, las miradas se dirigieron hacia la alameda central. La procesión de los catecúmenos se acercaba. La prensa inmortalizó los rostros graves de diez jóvenes y de sus padrinos que se dirigían al altar. Representando los cinco continentes, habían elegido esa noche para ser bautizados por el Papa.

Apresurando el paso, Arnaud, joven marinero de 24 años, tenía la mirada nublada por la emoción que lo embargaba. A su lado, una joven de Kenya, de aspecto noble, trataba de olvidar las desdichas de su pueblo, desgarrado ese final del verano por sangrientas masacres. En el momento en que los ingleses habían devuelto Hong Kong a la República Popular de China, la Iglesia universal no había olvidado invitar al bautismo a un joven del barrio de Wanchaï. Su presencia le recordaba al mundo el martirio del pueblo tibetano y los sufrimientos de esos chinos católicos, obligados a practicar la religión en el mayor de los secretos, so pena de reclusión.

El silencio era absoluto. Los peregrinos retenían el aliento. Nadie quería turbar la ceremonia de compromiso de esos diez hijos de Dios. Ninguna moción de orden se había hecho, por el contrario, con disciplina espontánea, la juventud del mundo mostraba a los adultos el camino del respeto. De pie y completamente inmóvil, Rosana tomó la mano de su marido. A su lado, con la mirada fija en el escenario, Cristina, la esposa de Gilles rezaba. El Papa estaba radiante. Monseñor Lustiger le presentó a los jóvenes. El acontecimiento no tenía nada de mundano, los jóvenes estaban *sedientos de fe*. Al llegar sus respectivos turnos, se presentaban frente al Vicario de Jesucristo para recibir el sacramento del bautismo. El Papa se levantó, con su mano derecha tomó una copa de plata representando la Vieira. De rodillas, el catecúmeno recibía el Agua Lustral, símbolo de purificación. Su rostro parecía bañado del amor de la vida.

Luego le tocó el turno a Jacqueline Mwangi, nativa de Mombasa. El Papa la miró con solemnidad. Sabía que el África donde ella vivía sufría calamidades. Esa tierra de esperanza para los católicos estaba devastada por la corrupción, la miseria, las luchas fratricidas y el sida. Paraíso de vacacionistas acomodados, Kenya no era excepción a la regla. En la noche de San Bartolomé, cerca de los barrios encopetados de

Marc-Éric Gervais

la capital francesa, Juan Pablo II reunía toda la ternura del mundo.

La mirada del Santo Padre se disimuló frente a los ojos repletos de amor que se volvieron hacia él. En ese instante, recordaba un encuentro con Nafis Sadik. Según se dice, el 18 de marzo de 1994 había recibido sin preparativos previos a esa delegada de las Naciones Unidas. Dos visiones respecto al control de la natalidad se habían enfrentado. Para el jefe de la Iglesia universal, no podía haber derechos o necesidades individuales, sólo había derechos y necesidades de pareja. Las Naciones Unidas, representante de la cultura heterogénea de millones de individuos, abogaba por los derechos de la mujer y por el establecimiento de una igualdad real en la pareja. Esta postura no era una concesión que se hiciera en cualquier lobby feminista. Se trataba de una cuestión dramática que planteaba, en los países del tercer mundo, el problema de la violación legal de la esposa por su esposo, señor y dueño.

152

¿Cuántas de ellas hubieran querido negarse? ¿Cómo evitar que viniera ese nuevo hijo que no podrían alimentar? Al no encontrar ninguna solución digna, muchas de ellas sacrificaban su instinto de madre. No soportaban saber que el niño moriría de hambre o de enfermedad. ¿Cómo podían aceptar dar a luz y luego abandonarlo en instituciones, cuando eso fuera posible? Para ellas, ese era uno de los crímenes más espantosos y uno de los traumas más insoportables. Por ello, se resignaban a interrumpir el embarazo ellas mismas. Doscientas mil de entre ellas morían cada año debido a los abortos clandestinos. Abortos de la vergüenza.

Al tomar la mano de Jacqueline, Juan Pablo II volvía a pensar en la pregunta que le había formulado a la representante de la O.N.U.: "¿No cree usted que la culpa es de las mujeres si los hombres se comportan de manera irresponsable?" Inmediatamente, él mismo se había reprochado su falta de compasión, él tan caluroso comúnmente. Lejos de la pasión que no había podido refrenar, precisaría más tarde que sus palabras se dirigían sobre todo a las sociedades occidentales, en las que por lo general "las mujeres eran perfectamente capaces de evitar las relaciones sexuales, si lo querían". De hecho, estaba de acuerdo con la evolución represiva de la legislación penal en materia de violación. Un buen número de países desarrollados, entre ellos Estados Unidos, reprimían con justicia toda relación no aceptada, sea cual fuere el marco en el que sucede y sea quien fuere el autor. El Papa aprobaba esta posición. Muchas mujeres se sentirán aliviadas por saberlo. Ese Papa no expresaba simplemente su sufrimiento cuando el hombre, confundiendo libertad e inmoralidad, rebaja a la mujer con actos indignos de ella. Y eso, Juan Pablo II, no se resignaría a aceptarlo nunca. Su deseo sincero tenía que ver conque la mujer logre salir de la sombra en la que la Historia la ha hundido, desde que se creó el mundo.

Al recibir a todos esos jóvenes bajo el cielo estrellado de Longchamp, pensaba en sus futuros. Miraba a todos esos hijos de Dios que se confiaban por entero a él. El Papa deseaba lo mejor para ellos: un hogar, una familia e hijos. Para su dicha, deseaba que tuvieran un trabajo justamente remunerado que les permitiera conservar su dignidad y permitiera su realización. Como si la multitud hubiera comprendido, tenía una actitud de espera. Con infinita ternura, vertió el agua sobre el rostro de la joven. Setecientas mil personas, entre ellas Rosana y Cristina, se persignaron. Todos renacían en la fe. Gilles se recogía, Michel pensaba en sus dos hijos, en ese momento le hacían falta.

En la emoción colectiva de esa multitud iluminada por cientos de miles de velas, Michel pensó de pronto en ese joven que tendría unos veinte años, el día de la fiesta de María. Habían pasado veinte años desde que una mirada había cambiado la vida de dos adolescentes. Con la mirada perdida, él recordaba su propia vida.

153

Era un hecho, se amarían para siempre. Después vino una noche de ternura. Ambos habían dibujado gestos desconocidos hasta ese momento. En casa de Rosana había cierta aspereza entre el padre que perdía a su hija y el que se la "robaba". Cuando la angustia de saberse embarazada se transformó en certeza, Rosana no se atrevía a hablar de ello con su familia. Después de una noche de lágrimas, ambos habían decidido no tenerlo. ¿Qué otra cosa podían hacer? Habían iniciado su acercamiento íntimo hacía dos meses. ¿En ese preciso momento de su joven relación sabían que se casarían más tarde y que los hijos plenamente deseados llegarían? Ignoraban la evolución de sus sentimientos. Frente a esa situación extrema, ambos se sentían tan vulnerables que Michel decidió hablar con el padre de Rosana y confesarle su falta. El encuentro fue glacial. Su padre estaba inquieto por la decisión de la joven. No hizo comentario alguno, prometió encargarse de todo, se dio la media vuelta y se fue. Michel recordaba que su padre había dicho: "Una vida no bastará para olvidar. Haz lo posible para que ella se sobreponga a ese sacrificio que nunca borrará." Nunca más habían vuelto a hablar de ese asunto.

Enmedio de cientos de miles de pequeñas flamas, como resplandores de la verdad, Michel fijó la vista en el altar. Tenía ganas de ir, ver al Papa para expresarle su dolor. Le hubiera gustado tanto decirle que no creía en el "aborto por lástima". Quería que Juan Pablo II supiera que cada vez que califica con dureza el aborto como "crimen contra la humanidad", las heridas se vuelven a abrir y cicatrizan más difícilmente.

Como si el Papa adivinara la espera de este hombre extraviado, la voz de la esperanza se dejó oír fuerte: "La palabra de Dios transforma la existencia de los que la reciben, porque es la regla de la fe y de la acción. Para respetar los valores esenciales, los cristianos, a lo largo de su existencia, experimentan también el sufrimiento que se exigen de las elecciones de carácter moral. Estas últimas son opuestas a los comportamientos del mundo y por ende llegan a ser, en ocasiones, elecciones heroicas."

Mientras se elevaba un *Magnificat* sublime, la juventud del mundo aclamaba la salida del Santo Padre. Miles de pañuelos de colores rompían la penumbra de la noche. Rosana tomó la mano de su esposo. Enmedio de sublimes notas musicales que subían al cielo, estaban juntos como nunca lo habían estado.

Longchamp quedaba vacío; sus periodistas y sus invitados se iban. La tribuna de prensa vacía resonaba con los cantos que subían de la explanada. Los jóvenes no tenían ningunas ganas de dormir. Luego de una velada bautismal un poco larga, necesitaban desquitarse. Las nacionalidades se mezclaban. Las barreras de la lengua se eliminaban espontáneamente. Un guiño de ojos o una sonrisa bastaban para entenderse. Bajo la mirada benévola de los voluntarios agotados, los madrileños iniciaron una "macarena" que tenía muy poco de católica.

Marc-Eric Gervais

Marc-Eric Gervais

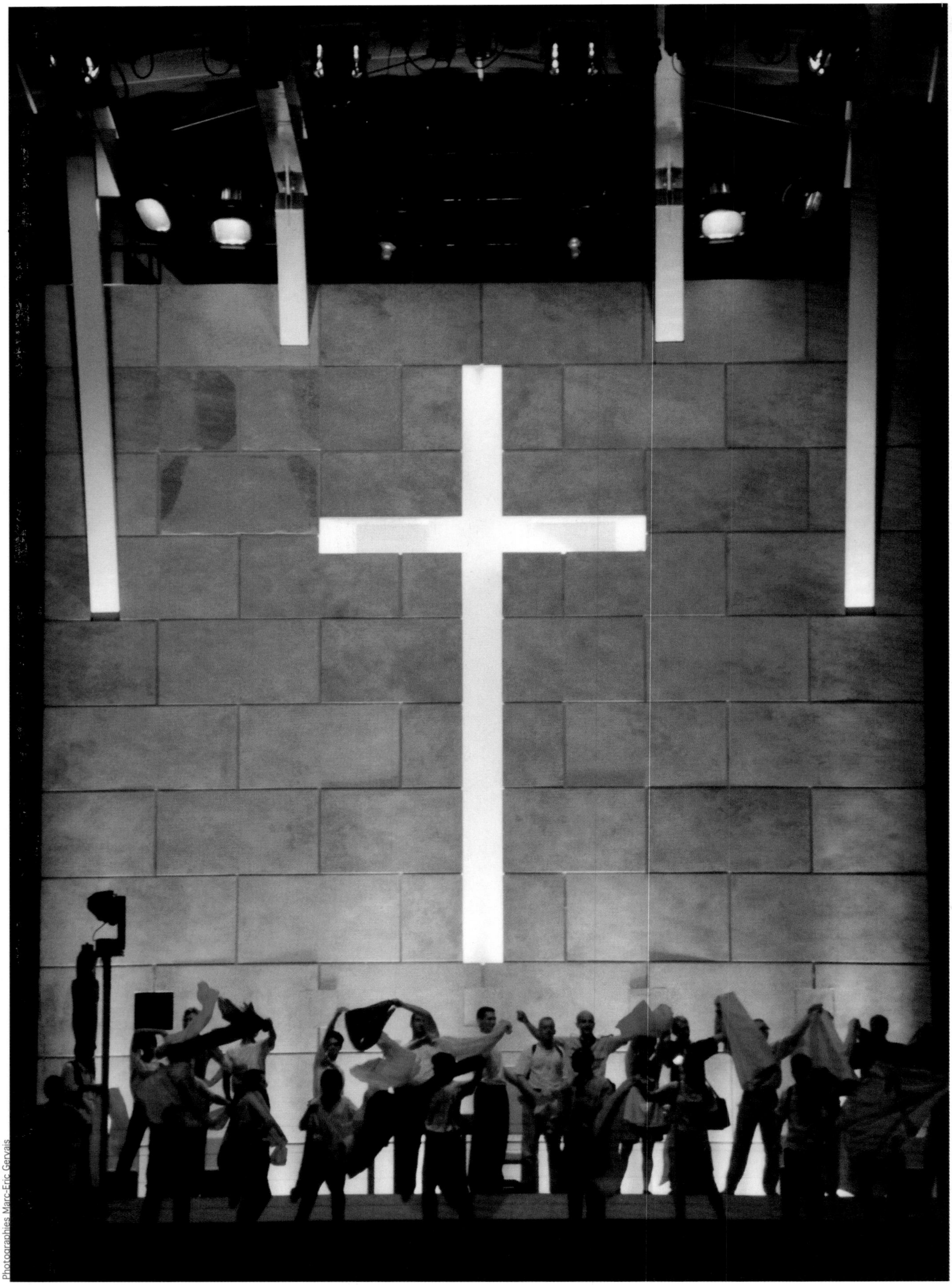

Photographies Marc-Eric Gervais

Muy pronto se les unieron los coreanos que, contra toda previsión, gritaban en español la letra de la canción. Iniciado por unos quince adolescentes, el baile invadió a toda la asistencia. Eran decenas de miles de jóvenes que, en cientos de filas, movían los brazos y saltaban al mismo tiempo.

En esa noche, la dicha de estar juntos encabezaba el *hit-parade*. Dos polacas mezclaban su deslumbrante blancura con la piel morena de dos chilenos, quienes pasaban de la "macarena" a la "lambada", sin previo aviso. En ese ambiente de fiesta, las adolescentes de Cracovia olvidaban las noches que habían pasado trabajando para reunir el dinero necesario para el viaje. Incluso tuvieron que pedir prestado. Esa noche, se sentían tan dichosas que no pensaban en lo que tenían que trabajar cuando regresaran. Muchos habían sido los que tuvieron que hipotecar su tiempo libre, para poder sumarse a las filas parisinas de la escuela de la fe. Nadie habría querido perder la oportunidad

de acercarse a ese profesor que ponía tanto empeño, tanto talento y corazón en querer cambiar la vida. Más tarde, el ambiente se calmó un poco. A lo lejos se escuchaban los acordes de una guitarra. Sólo faltaba la fogata y los leños crepitando. Muchos hablaban en voz baja para no molestar a uno que otro peregrino que quería dormir. Los católicos, orgullosos de serlo, querían mirar juntos el amanecer. El Papa muy pronto llegaría para celebrar la misa más grande de la historia.

El termómetro marcaba ya 28 °C, cuando Juan Pablo II hizo su entrada en el recinto de Longchamp, el domingo 24 de agosto de 1997. La ovación fue tan fuerte que lo sorprendió. El Obispo de Roma parecía cansado, pero aun así, sonrió. Un millón ciento cincuenta mil personas lo aclamaban. ¡Eran quinientas mil más que el día anterior! A su lado, en el *papamóvil*, Monseñor Lustiger mostraba júbilo. Decididamente, algo había cambiado realmente en el *Reino de Francia*.

Marc-Éric Gervais

La víspera, el Santo Padre había hecho hincapié en la reconciliación y en la unión de todas las religiones. Ese día, presentaba los caminos de la Fe. Al anunciar la nominación de Santa Teresa de Lisieux al título de doctor de la Iglesia, quería conducir a la juventud a la práctica cotidiana de la fe: "Más vale un poco de religión todos los días, que mucho tiempo a otras religiones." Por esta razón, se sentía cerca de Santa Teresa quien, mucho antes que él, había puesto su fe al servicio del amor al prójimo.

Teresa nació en 1873; sólo tenía un sueño: entrar al Carmel la noche de Navidad. Y sólo tenía catorce años. Las autoridades eclesiásticas de Lisieux le negaron entonces a esa pequeña niña tan frágil, el derecho de volverse religiosa. Empero, era terriblemente obstinada. Y ¡tomó entonces los caminos que llevan a Roma! Al confundirse entre un grupo de peregrinos de la diócesis de Coutances, Teresa vislumbró la oportunidad de su vida, cuando el 20 de noviembre de 1887, el Papa León XIII dio una audiencia pública. Sin darse cuenta, se plantó frente al Papa

y le dijo: "Muy Santo Padre, tengo una enorme gracia que quiero pediros." La pequeña le explicó que le habían negado el derecho de entrar al Carmel. Atónito por tal audacia, León XIII dijo: "Entraréis si el Buen Dios lo quiere."

Un periodista que acompañaba a los peregrinos reportó los hechos. De esa forma Teresa y la prensa hicieron que la jerarquía católica cediera. El 9 de abril de 1888, se convirtió en carmelita y tomó el nombre de Teresa del Niño Jesús y del Santo Rostro. Juana de Arco de la fe, su *combate* por el bien fue grandioso. Al morir de tuberculosis a los 24 años, dejó sobre la mesita de su celda un cuaderno escolar en el cual trazaba la dicha simple de su espiritualidad. Con letra de niña, expresaba en él su humildad y su voluntad plena de amar a Dios: "En el seno de la Iglesia, mi madre, yo seré el Amor." Al sentir que sus fuerzas la traicionaban, Teresa terminó su vida con estas palabras: "En el Cielo, pasaré mi tiempo haciendo el bien en la Tierra."

Un siglo más tarde, Juan Pablo II levantaba la hostia, a pesar del dolor que le ocasionaba una fractura en el hombro derecho, desde 1993. Impulsado por las palabras de la santa, el Papa rebasaba sus fuerzas con el fin de transmitir a los jóvenes esas enseñanzas: "Conservad el valor, seguid siendo artesanos de la reconciliación y de la paz." Como introducción a la celebración que reservaba a Santa Teresa en el transcurso del otoño, alentó al millón de peregrinos que estaban frente a él: "Vuestro camino no se termina aquí. El tiempo no se detiene el día de hoy. Continuad. La Iglesia confía en vosotros." Todos los peregrinos comulgaron. Juan Pablo II les dio cita para la próxima celebración de la JMJ, en Roma.

En fin, cansado por esa intensa semana, el Papa se levantó con dificultad para ir hacia otras cruzadas. Como si hubiera sentido la tristeza de ese millón de jóvenes que se negaban a dejarlo, les dijo en tono de confidencia y sonriendo: "¡Hasta el año 2000, Dios mediante!" ∎

Ettore Malanca

XIIÈMES JOURNÉES MONDIALES
DE LA JEUNESSE
PARIS 1997

163

Dime, ¿quién era Juan Pablo II?

Las Duodécimas Jornadas Mundiales de la juventud acababan de concluir. La víspera, Michel había visto en la televisión la salida del Papa y había notado la simpatía que el primer ministro, Lionel Jospin, le había expresado. A partir de ese día, la capital estaba silenciosa. Los parisinos buscaban con la mirada a los grupos con quienes se habían cruzado durante la semana pasada. Les faltaba algo. Un canto, una sonrisa, simplemente faltaban los jóvenes.

A pesar de todo, se inició la polémica sobre el monto del déficit de las JMJ. Se hablaba de treinta millones de francos franceses, que después se resumirían a ocho. Se insistía sobre esos doscientos mil jóvenes que no habían liquidado su estancia.

En realidad, el número de esos casos fue menor de los sesenta mil. Mediante tales pretextos, se quería minimizar la importancia y el éxito de esa manifestación.

Al igual que muchos, Michel, en su interior, le dio las gracias a la Iglesia de Francia por haber invertido tanto en la esperanza y en el mejoramiento de las condiciones del hombre. Maquinalmente, se preguntó lo que le respondería a sus hijos, el día que le preguntaran: "Dime papá, ¿quién era Juan Pablo II?".

Sin duda les contaría la historia de un ser excepcional. Les diría que su voz era un tesoro tan preciado que se lo regaló al mundo. Les explicaría que sus abuelos y sus bisabuelos y muchos hombres más, habían compartido con él un momento de la historia a veces dramática del siglo en el que habían nacido.

Agregaría que venía de un país que no estaba exento de infortunios, que surcaba el mundo y sembraba la esperanza. Les diría también que su mamá lo había encontrado un día, en París, y que había empezado a creer en él.

¿Qué agregaría? Que Juan Pablo II hizo lo imposible por mejorar lo cotidiano de las mujeres y los hombres del planeta. Evocaría la cólera de ese Papa frente a las guerras, el egoísmo y los sufrimientos. Hablaría de su indignación frente a los países en los cuales 250 millones de niños trabajan desde los cinco años en lugar de ir a la escuela. Les precisaría que las palabras del Papa no siempre fueron bien entendidas. Que el Santo Padre lo sabía y lo comprendía. Michel les confesaría a sus hijos que no creía en Dios, pero que este hombre lo había emocionado muchas veces, que en ocasiones había influido en él e incluso lo había hecho reír. ¡Que no había caminado sobre el agua, ni había hecho milagros, pero que por lo menos una vez, había hecho que Fidel Castro festejara Navidad!

Sin duda, sus hijos considerarían la respuesta un poco larga. Pero hay tanto qué decir sobre la humanidad y la bondad. Les explicaría que Juan Pablo II había pasado su vida convenciendo al ser humano que merece más atención y ternura de lo que el siglo XX le ha dado.

Y Michel agregaría que este hombre contaba con los niños, como ellos, para que nazcan tiempos nuevos en los que las mujeres y los hombres sean por fin dichosos. ∎

Agradecimientos

ELSA Editions
  -France-
    -United Kingdom-
    -United States -
ELSA Ediciones
ELSA Verlag

quieren dar las gracias a todos aquellos que han colaborado en la realización de este libro.

El autor agradece a Su Santidad y a las oficinas del Vaticano el recibimiento y la autorización que le otorgaron para reproducir un extracto de una de sus homilías en el preámbulo de la página 5. (Referencia, Séptimo Viaje Apostólico, París, 30 de mayo de 1980)

Bibliografía

Karol Wojtyla, obras anteriores a su pontificado.
Amor y responsabilidad, Madrid, Razón y fe, 1978.
El taller del orfebre, Madrid, Editorial Católica, 1979.

Encíclicas.
Redemptor hominis, Madrid, Ediciones Paulinas, D.L., 1979.
Laborem exercens, Madrid, Biblioteca de Autores Cristianos, D.L., 1981.
Slavorum Apostoli, Madrid, Ediciones Paulinas, D.L., 1985.
Dominum et Vivificantem, Madrid, Ediciones Paulinas, D.L., 1986.
Redemptoris Mater, Madrid, Ediciones Paulinas, D.L., 1987.
Veritatis splendor, Madrid, Palabra, 1993.

Bibliografía.
MALINSKI, Mieczyslaw, *Mon ami Karol Wojtyla*, Paris, Le Centurion, 1981.
GORDON, Thomas et MORGAN WITTZ, Max, *Dans les couloirs du Vatican*, Paris, Stock, 1983.
CHÉLINI, Jean, *La vie quotidienne sous Jean-Paul II*, Paris, Hachette, 1985.
DECAUX, Alain, *Le pape pèlerin, les voyages de Jean-Paul II*, Paris, Perrin 1986.
FROSSARD, André, *Le monde de Jean-Paul II*, Paris, Fayard, 1991.
FROSSARD, André, *N'ayez pas peur!*, Paris, Fayard, 1991.
DUFOURQUET, Philippe, *Toi, je t'aime!* Paris, L'Ecrivain Public, 1992.
VIRCONDELET, Alain, *Jean-Paul II*, Paris, Julliard, 1994.
BERNSTEIN, Carl, POLITI, Marco, *Sa Sainteté*, Paris, Plon, 1996.

Fotografía de portada: Gamma
Fotografías de contraportada: Arturo Mari, Gamma, Gamma, Marc-Eric Gervais

Printed in Italy
by Amilcare PIZZI - Milan
Dépôt Légal: Septembre 1998